施蟄存著

唐詩百話 (三)

——晚唐詩話

文史哲出版社印行

唐詩百話

著者：施蟄存
出版者：文史哲出版社
登記證字號：行政院新聞局局版臺業字五三三七號
發行人：彭正雄
發行所：文史哲出版社
印刷者：文史哲出版社
台北市羅斯福路一段七十二巷四號
郵撥〇五一二八八一二彭正雄帳戶
電話：三五一一〇二八
精裝定價新臺幣一〇〇〇元
平裝定價新臺幣九〇〇元
中華民國八十三年三月初版

ISBN 957-547-851-7（精裝）
ISBN 957-547-852-5（平裝）

唐詩百話㈢晚唐詩話

目次

晚唐詩話

78 李商隱：錦瑟

南朝宮體詩綺麗的辭藻，到盛唐時，已被擯斥在詩壇之外。王、孟的詩，固然清淡；即使李、杜、高、岑，也絕不堆垛穠艷的字面。從此以後，詩家一味崇尚清淡，到了郊、島，已清淡到質樸無華的古拙境界，不免有人感到枯瘁。物極必反，首先出現了一個李賀。他從齊梁詩賦中汲取麗辭幽思，運用在唐代的聲韻琅然的近體詩中，登時使唐詩開闢了一片新境界。受李賀影響的有施肩吾、段成式、溫庭筠、李商隱。段、溫、李三人都排行十六，所以當時人稱他們的詩體爲『三十六體』。

杜甫作詩，極講究句法，如《秋興》八首之類，詩句都極爲雄健。作長篇詩，又在叙事方法上，繼承了司馬遷、班固的史筆，如《北征》、《自京赴奉先詠懷》之類，形式是詩，精神卻是一篇散文。這一特徵，首先由韓愈繼承了下來，於是使後世有『以文爲詩』的評語。李商隱的詩，在句法與章法、結構方面，顯然可以看出杜甫、韓愈的特徵。

爲了要運用綺麗的字面來結構對偶的律詩句法，有許多思想、情緒，甚至事實，不便用本色詞語來表達，於是不得不借助於運用典故。在李商隱以前，詩人運用典故，不過偶爾用一二處，不會句句都用典故。而且一般的用典故，都是明用，讀者看得出，這一句中包含著一個典故。止要注明典故，詩意也就明白了。但是，李商隱的詩，往往是逐句都用典故，即使都注明白了，詩意還是不易了解。因爲在運用典故的藝術手法上，他也有所獨創。他在詩中運用典故，常常是暗用、借用或活用。典故本身所代表的意義，常常不是李商隱企圖在他的詩中所顯示的意義。

南朝宮體詩，使用綺麗的辭藻，描寫男女歡愛的宮廷生活，這些詩的思想內容，不會越出文字意境之外。因此，宮體詩的創作方法，絕大多數都是『賦』。李商隱有許多詩，也是組織了許多綺麗的辭藻，描寫男女歡愛。但在文字表面現象的背後，還隱藏與男歡女愛不相干的意義。這樣，李商隱的艷體詩，或說情詩，僅是他的某一種嚴肅思想的喻體，我們說他是用『比興』的創作手法來寫這一類詩的。溫庭筠與李商隱齊名，文學史上稱爲『溫李』，但溫庭筠的詩很少比興手法。無論意義與價值，溫庭筠的詩遠不如李商隱。

在唐詩中，李商隱不能說是最偉大的詩人，因爲他的詩的社會意義，遠不及李白、杜甫、白居易的詩。但我們可以說李商隱是對後世最有影響的唐代詩人，因爲愛好李商隱詩的人比愛好李、杜、白詩的人更多。北宋初年，以楊億、劉筠等人爲首的一群詩人，掀起了一個學習李商隱詩的高潮。

他們刊行了一部唱和詩集，名爲《西崑酬唱集》，後世就把李商隱風格的詩稱爲『西崑體』。自從歐陽修、石介、梅堯臣等提倡魏、晉風格的古詩，黃庭堅創立了江西詩派以後，西崑體就不時行了。但是，王安石還說：要學杜甫，應當從李商隱入門。

明代是唐詩復興時期，從前、後七子到陳子龍、錢謙益、吳梅村，都有李商隱的影響。清代中期以後，詩人好做情詩，專學李商隱的無題詩，流品愈下，出現了王次回的《疑雲集》和《疑雨集》。再以後，就有鴛鴦蝴蝶派小說中的那些香艷詩了。

金代詩人元遺山的《論詩絕句》云：

望帝春心托杜鵑，佳人錦瑟怨華年。
詩家總愛西崑好，獨恨無人作鄭箋。

前二句是《錦瑟》詩中的句子，下二句說詩家都愛好李商隱的詩，但苦於不解詩意，最好有人把它們箋注明白，像漢代鄭玄箋注《詩經》一樣。這是歷代以來讀李商隱詩的人共同的願望。到了明代末年，有一個和尚道源開始爲李商隱詩作注解。這部書現在已經失傳，無法見到，據說是『徵引雖繁，實冗雜寡要，多不得古人之意』。但清初王漁洋在《論詩絕句》中曾極力推崇他，比之爲箋解《詩經》的功臣毛公與鄭玄：

獺祭曾驚博奧殫，一篇錦瑟解人難。
千秋毛鄭功臣在，尚有彌天釋道安。

據宋人筆記《楊文公談苑》云，李商隱每作詩文，一定要查閱許多書本，亂攤在屋子裏，人家比之爲獺祭魚。原來水獺啣到了魚，並不立刻吞食，它要把得到的魚，一條一條陳列在面前，好像祭祀這些魚。好久以後，才把這些魚吃掉。李商隱亂攤書本，找尋資料，以寫詩文，情狀也和獺祭魚一樣。『獺祭』這個詞語，現在已被用來譏諷人家東抄西襲做文章了。道安是苻秦時高僧，自稱『彌天釋道安』，詩中用以指道源。

清初，朱鶴齡在道源注本的基礎上，增補了許多。其後，經過程夢星、姚培謙、馮浩等人的箋注考釋，現在我們用的是馮浩的《重校玉谿生詩詳注》。借助於這個注本，我們對李商隱詩中的典故，大致可以了解。但是，對於整首詩的涵義，還是不容易明白。儘管馮浩作了大量的考證箋釋，恐怕還有許多不能作爲定論的地方。

李商隱的詩，既然有了詳盡的注解，還是不容易看懂，而讀者偏偏還是愛好，這不是很有矛盾嗎？並不矛盾。這正是唐詩的特徵，尤其是在李商隱詩中體現了出來。唐詩極講究聲、色、意。首先是聲，平仄諧和，詞性一致，都是爲了追求音律的美，所以稱爲律詩。隋代以前的五言詩，在不合樂的時候，都是平讀的，像我們現在朗誦白話詩一樣。唐代的律詩，即使不配音樂，也可以像歌曲一樣吟唱，因爲它的文字組織有音樂性。其次是色。它屬於文字的美，是訴之於視覺的。李商隱極能組織綺麗的辭藻，他運用的單字和語詞，濃淡，剛柔，非常勻稱，看起來猶如一片古錦上斑斕的圖案。最後才是意。深刻的思想、感人的情緒，都是詩的內容，我們稱爲詩意。李商隱的詩，儘管我們不能理解其詩意，但是它們的聲、色同樣有魅力能逗取我們的愛好。現在我舉出一些歷代以來衆口傳誦的名句：

永憶江湖歸白髮，欲回天地入扁舟。（《安定城樓》）

水亭暮雨寒猶在，羅薦春香暖不知。（《回中牡丹》）

身無彩鳳雙飛翼，心有靈犀一點通。（《無題》）

縱使有花兼有月，可堪無酒又無人。（《春日寄懷》）

一春夢雨常飄瓦，盡日靈風不卷旗。（《重過聖女祠》）

夢爲遠別啼難喚，書被催成墨未濃。（《無題》）

春蠶到死絲方盡，蠟炬成灰淚始乾。（《無題》）

神女生涯原是夢，小姑居處本無郎。（《無題》）

以上八聯，都是不朽的名句。第一聯不用綺麗字面，而句法卻儼然是杜甫，錢良擇在《唐音審體》中稱之爲『神句』。這些詩聯，放在全篇中，儘管全詩的涵意不甚可解，但就是這一聯，已具有吸引人的魅力，使人擊節心賞了。此外，還有許多聯句，連意義都在可解不可解之間，止因爲有高度的聲、色之美，也使讀者不求甚解而仍能感到它是好詩。

李商隱的詩，有許多題作《無題》、《有感》、《讀史》的，這些詩題，並不像歷來詩人那樣，用以說明詩的內容。爲了記錄他的戀愛生活，或者發洩他的單相思情緒，他寫了一首隱隱約約的詩，並不要求讀者完全明白，於是加上一個題目：『無題』。如果他在社會生活、政治生活方面有所感觸，也用艷情詩的外衣寫下來，也題之爲『無題』或『有感』。如果他對當時的政治、國家大事有所憤慨，他就用借古喩今的手法作詩，題之曰『讀史』。『讀史』就是『詠史』，這種詩題是古已有之。『有感』也有人用過。『無題』則是他的創造。此外，李商隱還有許多詩，用第一句開頭二字爲詩題，如《錦瑟》、《碧城》之類。這些詩，其實也就是『無題』。

白居易作《新樂府》，惟恐讀者不明白他的詩意，在詩題之下，還要摹仿《毛詩》，加上一個小序。例如詩題《杜陵叟》下面有一句小序：『傷農夫之困也。』白居易希望自己的作品大衆化，要做到『老嫗都解』。儘管他的詩已經夠明白淺顯，他還是不憚煩地要在詩題上表現淸楚。李商隱恰恰相反，詩意已經朦朧得很，還不願加一個說明性的題目。留有餘地，讓讀者已去感覺，而不是理解。白居易和李商隱，代表了兩種文藝觀點，兩種創作方法。一個是現實主義，一個是近於象徵主義。

現在我們就以《錦瑟》這首詩爲例子，看看歷代以來許多人的體會：

錦瑟無端五十弦，一弦一柱思華年。
莊生曉夢迷蝴蝶，望帝春心托杜鵑。
滄海月明珠有淚，藍田日暖玉生煙。

此情可待成追憶，只是當時已惘然。

宋人《許彥周詩話》云：『《古今樂志》云：「錦瑟之爲器也，其柱如其弦數。其聲有適怨清和，又云感怨清和。」昔令狐楚侍人能彈此四曲。詩中四句，狀此四曲也。章子厚曾疑此詩，而趙推官深爲說如此。』

這大概是解釋此詩的最早資料。許彥周記錄趙深的講法，以爲這首詩是李商隱聽了令狐楚家妓彈奏錦瑟以後寫的。錦瑟有四種音調，詩中兩聯四句即分別描寫這四種音調。『莊生』句是寫適，或感，『望帝』句是寫怨，『滄海』句寫清，『藍田』句寫和。這樣講詩，眞是可謂曲解。『望帝』句勉強可以說是形容其怨，其餘三句就扣不上去了。瑟與琴一樣，都是一弦一柱，錦瑟的柱數與弦數同，顯然是胡說，既然李商隱自己沒有注明此詩本事，又何從知道令狐楚妓女曾彈奏過適怨清和的瑟曲呢？但是，儘管許多人不能同意如此講法，而王世貞還說：『李義山《錦瑟》詩中二聯是麗語。作適怨清和解，甚通。然不解則涉無謂。既解則意味都盡，以此知詩之難也。』（《藝苑卮言》）他以爲李商隱的這一類麗語，講不通就沒有意思，講通了反而又覺得不過如此，沒有餘味了。這一評語，正說穿了李商隱詩的特徵。

劉攽《中山詩話》說：錦瑟是當時某一個貴人的愛姬。《唐詩紀事》說是令狐楚的妾。總之，都以爲錦瑟是人名，而這首詩是李商隱寫他對錦瑟的愛戀。這一講法，也止是臆說，毫無根據。

但是《唐詩鼓吹》中郝天挺注此詩，仍用適怨淸和之說。廖文炳從而解云：『此義山有托而詠也。首言錦瑟之制，其弦五十，其柱如之。以人之華年而移於其數。樂隨時去，事與境遷，故於是乎可思耳（以上解第一聯）。乃若華年所歷，適如莊生之曉夢，怨如望帝之春心，淸而爲滄海之珠淚，和而爲藍田之玉煙，不特錦瑟之音，有此四者之情已（以上解中二聯）。夫以如此情緒，事往悲生，不堪回首，固不可待之他日而成追憶也。然而流光荏苒，韶華不再，遙溯當時，則已惘然矣（以上解尾聯）。』這樣解釋，已經是逐句串講了，但是讀者還未必能豁然開朗，信服他講得不錯，已表達了作者本意。

錢良擇在《唐音審體》中釋云：『此悼亡詩也。《房中曲》云：「歸來已不見，錦瑟長於人。」即以義山詩注義山詩，豈非明證？錦瑟當是亡者平日所御，故睹物思人，因而托物起興也。集中悼亡詩甚多，所悼者疑即王茂元之女。舊解紛紛，殊無意義。』以此詩爲悼亡而作，以錦瑟爲興感之物，朱彝尊、朱長孺、馮浩也都有此設想，不過對詩句的具體意義，各人的體會又各有異同。

『錦瑟無端五十弦』，錢氏云：『瑟本二十五弦，一斷而爲二，則五十弦矣。故曰無端，取斷弦之意也。』馮浩最初的箋解，以爲此句是『言瑟之泛例』，引李商隱詩另一句『雨打湘靈五十弦』爲例。又說：『以二十五弦爲五十，取斷弦之義者，亦誤。』又說：『此悼亡詩，定論也。以首二字爲題，集中甚多，何足泥也。』這樣，馮氏雖然也以此詩爲悼亡而作，但錦瑟和五十弦都沒有任何寓意。但他在重校本中卻同意了錢氏的講法。

「一弦一柱思華年」，錢氏云：『弦分爲五十，柱則依然二十五。數瑟之柱而思華年，意其人年二十五歲而卒也。』楊守智箋云：『琴瑟喻夫婦，冠以錦者，言貴重華美，非荊釵布裙之匹也。五十弦、五十柱，合之得百數。思華年者，猶云百歲偕老也。』何焯解此詩首二句云：『首借素女鼓瑟事以發其端，言悲思之情，有不可得而止者。』馮浩箋云：『楊說似精而實非也。言瑟而曰錦瑟、寶瑟，猶言琴而曰玉琴、瑤琴，亦泛例耳。有弦必有柱，今者撫其弦柱而嘆年華之倏過，思舊而神傷也。』

「莊生曉夢」二句，錢氏以爲「言已化爲異物」。何焯云：『悲其遽化異物。』馮浩則以爲上句是「取物化之義」，下句則「謂身在蜀中，托物寓哀」。

「滄海月明」二句，錢氏以爲上句言其「哭之悲」，下句「謂已葬也，猶言埋香瘞玉」。何焯以爲「悲其不能復起之九原也」。這兩家的意見是同樣的，上句寓悲悼之意，下句惜其長眠地下。馮浩不同意這一講法。他以爲這首詩的下半是「重致其撫今追昔之痛」，「滄海」句是「美其明眸」，「藍田」句是「美其容色」。

最後一聯，「此情」二句，錢氏解釋道：『豈待今日始成追憶，當生存之時，固已憂其至此矣。意其人必婉弱善病，故云。』馮浩在初校本中，講法與錢氏不同。他說：『惘然緊應無端二字。無端者，不意得此佳耦也。當時睹此美色，已覺如夢如迷，早知好物必不堅牢耳。』但是在重校本的《補注》中，卻全部否定了自己的舊說，認爲錢氏「起結之解，究爲近理。中四句必如愚解。」他承認錢氏對此詩首尾兩聯的解釋，較爲近理。可是還堅持他對中間二聯的解釋。

以上所引諸家，都是清初康熙、乾隆朝的箋注家。他們都認爲這是一首悼亡詩，但是全詩八句，各人的講法都不盡一致。即使有相同處，也是同中有異。總的說來，清代詩家，都同意這是爲悼亡而作。止有一個紀曉嵐，以爲它是一首艷情詩：『始有所歡，中有所阻，故追憶之而作。』（《李義山詩辨正》引）差距其實不遠，止是那位美人死與不死之別而已。

據說有一個宋刻本李商隱詩集，第一首就是《錦瑟》，因此，何焯又曾以爲是李商隱『自題其集以開卷』，此詩有自傷生平之意。此說記載於王應奎的《柳南隨筆》。馮浩以爲這不是何焯的話。近代張爾田作《玉谿生年譜會箋》，關於《錦瑟》這首詩，就採用此說。最近出版了一部《李商隱評傳》，其作者更以爲這樣講法『最得其實』。他又從而『發揮』之。現在節錄如下：

> 《錦瑟》實際上是李義山一生遭遇蹤跡的概括。宋刊義山詩集把它置於卷首決不是偶然的。首聯以『錦瑟』興起，是虛寫。『思華年』三字統攝全篇，是本詩基本主題思想的概括。中四句是純係自傷生平之辭。『莊生』句包含兩方面意思。一方面是實寫，即追憶青年時代仙遊生活。『莊生』，詩人自謂；『迷蝴蝶』，喻入道仙遊。另一方面又是虛寫，是說自己青年時代有過許多綺麗美好的理想，後來在冷酷的現實生活中逐一幻滅，化爲泡影，晚年回憶起來眞是既辛酸，又甜蜜。『望帝』句謂我滿腹憂憤，惟有假詩篇以曲傳。『春心』句寓遲暮之感。『滄海』句取滄海遺珠之意。意思是說：滄海的遺珠長對明月而垂淚。『藍田』句意思與

上句相近，是說藍田的美玉，每臨暖日而生煙。總的說來，這兩句義山自慨不遇。珠、玉，詩人自喻美才；淚、煙，抒寫沉淪不遇之痛。尾聯運用遞進句式，今昔對照，突出詩人內心的惆悵寂寞。詩用反問句式更有力地肯定正面意思：凡此種種遭受，何待今天回憶，就在當時也夠令人惆悵傷感的啊！又詩題曰《錦瑟》，取首二字爲題，猶《無題》也。

作者每講一個詞語，都引李商隱其他詩中同一個詞語爲證。例如莊周夢蝶的典故，李商隱用過好幾次，作者都引用來作爲旁證，以證明這是寫『遊仙生活』。看到句中有『滄海』和『珠』字，就說這是『滄海遺珠』之意。從來講唐詩的，何止數百家，儘有講得很深奧屈曲的，但沒有見過如此穿鑿附會的講法。李商隱原詩雖然不能逐句實講，但體會其涵義，我以爲悼亡之說，還是近情。自傷生平的講法，或者可以聊備一說，但如果用《評傳》作者這樣的曲解，恐怕無論如何也講不清這是一首自傷生平的詩。

以《錦瑟》爲例，可知李商隱的許多無題詩，儘管注明了詩中所用典故，還是不很容易了解其主題思想。

馮浩在幾十年的研究及箋注工作以後，寫下了兩段結論。其一云：『自來解無題諸詩者，或謂其皆屬寓言，或謂其盡賦本事。各有偏見，互持莫決。余細讀全集，乃知實有寄托者多，直作艷情者少，夾雜不分，令人迷亂耳。《鼓吹》合諸無題詩而計數編之，全失本來意味，可尤噱也。』其二云：『說詩最忌穿鑿。然獨不曰「以意逆志」乎？今以知人論世之法求之，言外隱衷，大堪領悟，似鑿而非鑿也。如《無題》諸什，余深病前人動指令狐，初稿盡爲翻駁，及審定行年，細探心曲，乃知屢啓陳情之時，無非借艷情以寄慨。蓋義山初心，依恃惟在彭陽，其後郎君久持政柄，舍此舊好，便何求援？所謂「何處哀箏求急管」者，已揭其專一之苦衷矣。今一一注解，反浮於前人之所指，固非敢稍爲附會也。若云通體一無謬戾，則何敢自信。』

馮浩最初不贊成以前許多注釋家的觀點，他在初刻箋注本中，對前人以爲有寄托的好些無題詩，一概批駁，斷定它們都是描寫愛情的艷詩。但後來對李商隱的生平遭遇，經過深入研究，發覺李商隱並不是一個風流浪子，他的那些艷詩，在很大的程度上，可能是有隱喻的。於是他用『以意逆志』的方法，探索這些無題詩的微意。結果是，在他的重定本《箋注》中，他認爲是有寄托的無題詩，反而更多於前人研究的結果。但是他也肯定有一小部分無題詩，還是賦艷情之作。在這種夾雜不分的情況之下，他認爲必須有所區別，而《唐詩鼓吹》把李商隱的許多無題詩集中在一起，使讀者不能區別鑑賞每一首詩的意味，這是他認爲可笑的。

但是，對於李商隱的詩，運用『以意逆志』的方法來求解，馮浩也還不敢自信其無誤。所以，我以爲還是採取陶淵明的方法，『不求甚解』爲妙。

一九八五年二月十八日

79 李商隱：七言絕句四首

『七言絕句，古今推李白、王昌齡。李俊爽，王含蓄。兩人辭、調、意俱不同，各有至處。李商隱七絕寄托深而措辭婉，實可空百代無其匹也。』這是清康熙時詩人吳江葉燮的話，見於他所著《原詩》。他對李商隱的七絕評價如此之高，大可注意。因爲一般人讀李商隱詩，往往爲他的七律和五言排律所吸引，而不很注意到他的七絕。其實他的七絕量既不少，質亦傑出。

葉氏概括李商隱七絕的優點是『寄托深而措辭婉』，我以爲這還是其一個特徵。而且葉氏這一句話，我們還不妨理解爲三個特徵：其一是寄托既深，措辭又婉的詩。其二是寄托深的詩，措辭不一定婉。其三是措辭婉的詩，不一定有很深的寄托。除此以外，我以爲李商隱還有一些俊妙的七言絕句，運用的創作方法還不是葉氏這一句話所能概括的。現在，我選他幾首七絕來談談。

閨情

紅露花房白蜜脾，黃蜂紫蝶兩參差。
春窗一覺風流夢，却是同衾不得知。

這是唐詩中一首獨特的閨情詩。絕大多數閨情詩，都是寫婦女的傷春怨別情緒，惟有這首詩寫的是一個女人睡在丈夫身旁夢見與她的情人歡會。這個題材，恐怕是古今閨情詩中絕無僅有的。第一句是寫一朵美艷的花。花房、脾，都是指花心。紅露是說紅色而帶露水的，白蜜是說白色而含蜜汁的。第二句說黃蜂與紫蝶都來向這朵鮮花採蜜。『兩參差』三字用得極妙，表示蜂蝶並不同時來到。這兩句詩已經把情況象徵性地說明了。第三句才具體點明，這是那個女人在春窗下做的一個風流夢。爲什麼要說是『春窗』而不說『秋窗』呢？因爲這個『春』字並非必然用作窗的形容詞，它的意義止是說明那個女人的情緒，應當理解爲《詩經》中『有女懷春』的『春』字。第四句是主題思想所在。妻子在睡眠中做了一個風流夢，同衾人（指丈夫）却是一點也沒有知道。

馮浩給這首的評語是『尖薄而率』。可知他沒有深入理解這首詩。他以爲這是一首沒有寄托的艷情詩，有些輕薄，而且表現得太直率。我以爲這首詩可以理解爲『寄托深而措辭婉』的代表作。有些人的思想、感情、行爲，即使同在一起的人，或極其親密的人，也不能了解，正如同床的丈夫還不知道妻子的思想、感情、行爲一樣。這是用有寄托的觀點來解釋這首詩，豈不是可以說是『寄托深而措辭婉』呢？至少，這樣一講，它就不是一首輕薄的艷情詩。至於從這一寄托的意義去探索

李商隱

詩人所隱喻的具體動機，這就不可能求之更深了。

過楚宮

巫峽迢迢舊楚宮，至今雲雨暗丹楓。
微生盡戀人間樂，只有襄王憶夢中。

楚襄王做了一個夢，夢見與巫山神女歡會。巫山神女是興雲降雨的神。這個神話見於宋玉的《高唐賦》。後世文學上就把『雲雨』用作男女交歡的代詞。李商隱詩中用楚襄王與神女的故事爲題材的很多，這是其中之一。第一句用『迢迢』來形容巫峽，用『舊』來形容楚宮，就值得讀者注意。言外之意，可知現在離巫峽（神女所居之地）已遠，而襄王從前所居之宮亦已成爲陳跡。可是，第二句說，神女所施行的雲雨至今還在遮暗紅葉的楓樹。第三句是轉句，引出第四句作對比。『微生』在這裏可以講作『一般人』或『衆人』。大家都留戀人世間的快樂，止有楚襄王還在回憶當年的美夢。

從文字表面來講，這是作者經過楚宮遺址而想起了楚襄王的神話，因而寫了這首詩，形容巫山神女的使人永久留戀。如果就這樣講，也很好，這首詩也很美了。但馮浩卻說：『自傷獨不得志，幾於哀猿之啼矣。』這樣一講，這首詩也有寄托了。馮浩的理解是認爲李商隱寫此詩以寄托他感慨身世，發出不得志的哀啼。主題是揭出了，但他沒有詳解，可能還有讀者不能領悟。

李商隱的一生，被牽累在牛李黨爭這一個政治旋渦中。他早年爲令狐楚所賞識，令狐楚有意提拔他。後來李商隱娶了王茂元的女兒。王茂元是李德裕的人，令狐楚是牛僧孺的人。這樣，李商隱的婚姻，意味著背叛牛黨而投靠李黨。令狐楚死後，他的兒子令狐綯官位一天一天高起來，王茂元死後，李德裕的官位勢力愈來愈降落。李商隱先後投奔鄭亞和柳仲郢，在他們幕下爲書記。鄭、柳都是李德裕的人。宣宗大中二年（公元八四八年），李德裕被令狐綯排擠，貶爲崖州司戶參軍。三年十二月，卒於崖州。於是李黨政治集團徹底崩潰，李商隱也隨著柳仲郢的降官而回到鄭州老家，不久即病故。當令狐綯權勢日高的時候，李商隱屢次上書獻詩，希望令狐綯顧念舊情，給予援助，但令狐綯絕不理睬他。

李商隱的詩，有很大一部分是寫他在政治上的遭遇，有明說的，有隱喻的。這首《過楚宮》詩，我以爲可能是大中四年令狐綯爲宰相時寫的。第一句『巫峽迢迢舊楚宮』，這個『楚』字很巧妙地借用作令狐楚。這時他早已不在令狐楚門下，令狐楚的家豈不已成爲既遠又舊的地方。第二句是把『雲雨』比喻權勢，令狐楚雖然已死，但他的權勢還沒有衰敗，因爲他的兒子又當了宰相。第三句是比喻別人都霑受了令狐父子兩代的恩澤，第四句以襄王比自己，止有我在回憶當年的美夢。

我把『至今雲雨暗丹楓』一句講作『權勢還沒有衰敗』，可以有一個旁證。就在這首詩的下面，接著還有一首題作《深宮》的七言律詩。這兩首詩恐怕是同時所作，因爲意境差不多。《深宮》的結尾二句是：『豈知爲雨爲雲處，止有高唐十二峰。』意思是：『想不到掌握大權的，止有令狐家。』馮浩也說這首詩『與上章托意無殊，而吐詞各別，眞妙於言情者』。我想把他的結句改爲『眞妙於諷諭者』，那就明白了。

屏風

六曲連環接翠帷，高樓半夜酒醒時。
掩燈遮霧密如此，雨落月明俱不知。

這是一首詠物詩。題目是『屏風』，詩就描寫屏風。四句詩，說的都是關於屏風的事。這種創作方法是『賦』。第一句寫屏風的形狀，一共六扇，鈎連起來可以轉折的，放在翠綠色的帷幕邊。第二句寫屏風所在的時地。高樓上，半夜裏，主人酒醒之時。第三句寫屏風的作用：掩燈、遮霧，把室內室外的一切光與景都嚴密地擋蔽了。第四句寫屏風的效果：使室內的人不知一切外邊的事，還是天晴有月亮呢，還是在下雨？

很明顯，初學詩的人也可以感到這首詩不僅是詠屏風，它還有言外之意。把屏風比喻爲一種阻擋或隱瞞眞實情況的人物，而它的主人又是在高樓上，半夜裏，並且酒醉才醒的人。這是一個不能明察秋毫，而易受蒙蔽的人。詩題是『屏風』，那麼這首詩可以解釋爲諷刺蔽賢之人。但馮浩以爲不是。那麼，從『雨落月明俱不知』這一句看，也可解釋爲諷刺被蒙蔽的達官貴人。但是，另外也以把第二句和第四句認爲是作者自寫，那麼，屏風對於詩人，就成爲欺瞞他的小人了。

在李商隱的七言絕句詩中，這一首是寫得最淺顯的。它不是有什麼寄托，而止是有所比喻，因爲它並不像專指一件事，這就是『賦而比』的創作方法。至於這首詩的措辭，也不能說是婉，最後一句未免說得太顯露了。

舊將軍

雲臺高議正紛紛，誰是當時蕩寇勳。
日暮灞陵原上獵，李將軍是舊將軍。

東漢明帝永平三年（公元六〇年），下令把輔助光武帝建立中興大業的三十二位功臣大將畫像於雲臺。在後世的文學詞彙中，雲臺就作爲一個論功行賞的地方。這首詩的第一、二句是說雲臺上議論紛紛，決不定誰是當時掃蕩敵人的功臣。第三、四句也用了一個典故：西漢時名將李廣告老家居時，有一天，帶了一員衛士入山打獵，在農村裏朋友家飲酒，不覺夜晚，已到宵禁時間。回到霸陵旗亭，被一個喝醉酒的霸陵尉斥罵，不准通行。衛士便說：『這是前任李將軍。』霸陵尉道：『就是現任將軍，也不許犯禁夜行，何況你這個前任將軍。』這個故事形容人間的勢利，以李廣那樣立大功的人，一到退休林下，失去權勢，便爲一個小小尉官所瞧不起。李商隱在這首的第三、四句概括了這個故事，聯繫上面兩句，可以知道這首詩是寫一個功高的將軍，非但不能畫像於雲臺，而且爲卑官小吏所輕視。那麼，李商隱所同情的『舊將軍』是誰呢？馮浩以爲是李德裕。因爲宣宗大中二年七月，曾命令繼承太宗的故事，增畫功臣圖像於凌煙閣上，想必當時一定有紛紛議論，誰應該算是功臣。李德裕有攘回紇、定澤潞之功，可是非但沒有被定爲功臣，而且已於上年貶官爲潮州司馬。當年十一月，又貶爲崖州司戶參軍。李商隱這首詩，作於大中二年，爲李德裕鳴不平，情事完全符合，用典也非常貼切，我以爲馮浩的箋釋是無可否定的。這是一首藝術手法很高明的諷喻詩。

【附記】

劉言史有《樂府雜詞》三首，其第三首云：

不耐簷前紅槿枝，薄妝春寢覺仍遲。
夢中無限風流事，夫婿多情亦未知。

此詩與李商隱《閨情》詩同。劉言史與李賀同時，略早於李商隱，不知是一詩誤入二人集中，或二人各有所作，偶爾意同。

一九八五年三月一日

80 溫庭筠：五七言詩四首

溫庭筠，太原人，字飛卿，太宗時宰相溫彥博的後裔。他和李商隱同時，可能稍長幾年。他的詩，風格與李商隱相同，當時便齊名並稱為『溫李』。他的身世遭遇，也和李商隱很相似，同是為令狐綯所壓制。雖然新舊《唐書》都有他的傳記，可是都不詳細，而且與其他資料出入很大。《舊唐書》說他：『初至京師，人士翕然推重。然士行塵雜，不修邊幅。能逐弦吹之音，為側艷之詞。公卿家無賴子弟，裴誠、令狐滈之徒，相與蒱飲，酣醉終日。由是累年不第。』《新唐書》說他：『文思神速，多為人作文。大中末（公元八六〇年），試有司，廉視尤謹。庭筠不樂，上書千餘言。然私占授者已八人。執政鄙其所為，授方城尉。』這兩段史傳都沒有說他成進士，但《新唐書》記載他在試場中嚴密監視之下，已為八個人做了槍手，而自己還能寫成千餘字的考卷。最後兩句，恐怕有節略。執政者既然鄙其所為，為什麼還要授以方城尉之職？應該是進士及第之後，不給他做校書郎之類的清流官，而把他外任為縣尉。

《全唐詩話》、《唐詩紀事》都說他是『謫為方城尉』，並且還載了當時朝廷的制詞云：『孔門以德行爲先，文章爲末，爾既德行無取，文章何以稱焉。徒負不羈之才，罕有適時之用。』據此可知他的被降謫，是由於品德惡劣。但既然方城尉是降謫的結果，那麼他原先又是什麼官職呢？這一情況，也無可考查。

史傳都沒有說他做過國子助教，但《花間集》中卻稱他爲『溫助教』。又《寶刻叢編》記載有《國子助教溫庭筠墓志銘》，是他的弟弟庭皓所撰。這就可以證明他最後的官職是國子助教，並不像《全唐詩話》所說的『流落而死』。近年夏承燾先生作《溫飛卿年譜》，蒐集資料甚多，考證甚詳，但對於這些問題，還未能解決。大約溫庭筠這個人，品德遠不如李商隱。他的缺點，一是恃才傲物，喜歡譏諷別人，以致得罪了許多人。二是沉湎於酒色，行止不檢，以致爲士林所不齒。但他的仕宦前程，主要是爲令狐綯所壓制，這又和李商隱一樣了。

溫庭筠的詩，其聲色之美，和李商隱不相上下，但其詩意卻遠不及李商隱。李詩有比興者多，溫詩純用賦體，絕少言外之意。嚴羽《滄浪詩話》說宋初楊、劉等人倡『西崑體，即李商隱體，然兼溫庭筠』。我以爲這句話說倒了。西崑詩人雖然竭力摹仿李商隱，然而他們的詩，止能學到溫庭筠。後世學西崑體者，也大多止學像了溫庭筠。

明人顧璘在評點《唐音》時批評溫庭筠道：『溫生作詩，全無興象，又乏清溫。句法刻俗，無一可法。不知後人何以尊信。大抵清高難及，粗濁易流，蓋便於流俗淺學耳。余故恐鄭聲亂雅，故特排擊之。』清初賀裳在《載酒園詩話》中引述顧璘這段評論，但是他以爲顧璘的話未免過分。他以爲『大抵溫氏之才，能瑰麗而不能淡遠，能尖新而不能雅正，能矜飾而不能自然，然警慧處，亦非流俗淺學所易及』。綜合這兩家意見，我以爲說溫詩『句法刻俗，無一可法』，確是排擊太甚。我倒同意賀氏，以爲溫詩亦有『非流俗淺學所易及』之處。不過賀氏謂溫庭筠的才情『能瑰麗而不能淡遠』三句，我覺得也有些過分。淡遠、雅正、自然，這三種風格，溫庭筠並不是沒有。

溫庭筠的詩，有兩種風格。一種顯然是受李賀影響的齊梁體小樂府，和辭藻穠艷的七言律詩，這是賀裳所謂瑰麗的一面。另一種是寫行旅、登覽的五言律詩，這些詩仍然是從王維、孟浩然、劉長卿等人的風調發展而來，並不用瑰麗的辭藻，這是賀裳所謂淡遠的一面。李商隱沒有這一類的五言律詩，所以他的全部詩作，聲、色是一致的。溫庭筠的全集中，有聲色截然不同的現象。

溫庭筠詩集前三卷都是樂府詩。選題造句，摹仿李賀的痕跡非常明顯，但有寫得很好的，現在舉例一首：

湘宮人歌

池塘芳意濕，夜半東風起。
生綠畫羅屏，金壺貯春水。
黃粉楚宮人，方飛玉刻鱗。
娟娟照棋燭，不語兩含嚬。

這首詩如果放在《李長吉歌詩》中，恐怕沒有人能看出是溫庭筠的詩。句法、結構、神情、面目，全是李賀的特徵。全詩無法逐句講解，止能大略感到第一、二句是寫時、地。地是在池塘邊的宮闈中，時是春天夜半。第三、四句是宮闈內景：用翠綠色畫的屛風，有滴漏報時的銅壺。第五句是點明題目：額上點著黃粉的楚國宮人。第六句不可解。『方飛』，一本作『芳花』，但也無法講得通。不過這一句的作用，大概總是描寫這兩個宮女的裝飾。第七、八句是寫這兩個宮女對著殘棋短燭，含嚬夜坐，表現了她們的怨情。題目是《湘宮人歌》，內容就是『宮怨』。

三洲詞

團圓莫作波中月，潔白莫爲枝上雪。
月隨波動碎潾潾，雪似梅花不堪折。
李娘十六青絲髮，畫帶雙花爲君結。
門前有路輕別離，惟恐歸來舊香滅。

《三洲詞》，或稱《三洲曲》，是流行於巴陵三江口的民歌。那地方的商人乘船從長江上下，販貨經商。歌辭內容就寫商人重利輕別，使妻子在家，空房獨守，有華年易老之感。這首詩前四句是比喻。波中之月，雖然是圓的，但波動而月就碎，這團圓便是虛假的。樹枝上的雪雖然潔白如梅花，但它終不能折下來當作梅花，插瓶供賞。第五、六句寫一個假擬中的李娘，年才十六，就已經嫁人了。結髮、結帶，都是結婚的代詞。第七、八句寫門前有水路直通揚州，做商人的丈夫輕易就離別而去，止怕你回來時已聞不到舊時的香了。『舊香』，用來象徵青春年少。

過陳琳墓

曾於青史見遺文，今日飄蓬過此墳。
詞客有靈應識我，霸才無主始憐君。
石麟埋沒藏春草，銅雀荒涼對暮雲。
莫怪臨風倍惆悵，欲將書劍學從軍。

這是一首和李商隱風格相同的七言律詩。所謂西崑體，從宋初的楊億到明末清初的陳子龍、錢謙益，主要是摹擬這一路的律詩。它們音調雄健，辭藻豐腴，或者穠麗，詩意的邏輯結構明白清楚，在明、清人的鑑賞標準中，這是唐律的典範。

這首詩是溫庭筠的名作，許多選本都選了它，也有許多人給作了注解。我本來不想在這裏選講。可是一檢諸家注解，發現有幾句似乎大家都沒有講通，因此就憑我的了解，提出另一些講法，與讀者商榷。

第一句的『青史』，止有曾益注引江淹的文句『並圖青史』，算是注出了這個語詞的來歷。其實這個注可有可無，因爲『青史』二字早已成爲普通常用的名詞，意義就是歷史書。『遺文』二字，郝天挺注云：『《三國志》有《陳琳傳》。』這樣一注，這句詩就被解釋爲『曾經在《三國志》這部史書中讀到你的傳記。』溫庭筠分明說是：『見遺文』，怎麼可以理解爲讀到陳琳傳記呢？問題在於『青史』二字不能死講作《三國志》之類的史籍。在文學修辭中，一切古書都可以稱爲『青史』。溫庭筠這句詩是說『我曾在古書中見過你的文章。』廖文炳解釋就不用郝天挺的注，他說：『此言陳琳文章，曾於青史中見之。』這就講通了。

第四句的『霸才無主』，沈德潛釋云：『言袁紹非霸才，不堪爲主也。有傷其生不逢時之意。』這是以爲『霸才』是指袁紹。但陳琳先在袁紹幕府，袁紹死後，歸依曹操。袁紹既不是霸才，難道曹操也不是霸才嗎？既以『霸才』爲指袁紹，那麼，『霸才無主』應當講作『袁紹無主』，怎麼能講作『袁紹不堪爲主』呢？『無主』並不是『非主』，這個講法，顯然是不通的。富壽蓀在《校記》中指出了『沈說非是』。又引用紀昀的《瀛奎律髓刊誤》云：『「詞客」指陳，「霸才」自謂。此一聯有異代同心之感，實則彼此互文，「應」字極兀傲，「始」字極沉痛。通首以此二語爲骨，非弔陳琳也。虛谷以「霸才」爲曹操，謬甚。』虛谷是《瀛奎律髓》的編者方回，他解此詩，以爲『霸才』是指曹操。這與沈德潛同樣錯誤，使下面『無主』二字講不通了。紀昀駁斥了方虛谷之謬，而以『霸才』爲溫庭筠稱許自己，我看也是半斤八兩。既然溫庭筠自嘆『霸才無主』，爲什麼不可憐自己，反而要可憐陳琳呢？文學研究所編注的《唐詩選》採用了紀昀的講法，解釋道：『作者自命有經世之才而無所依托，所以對陳琳同情。』但是，緊接下去，卻又說：『陳琳先後依袁紹，曹操，也只是做一些文字工作，並非被重用，所以作者仍然覺得他可憐。』這一段解釋豈非前後矛盾？到底誰是『霸才無主』呢？這裏，上有四個可能。不是袁紹，便是曹操，而他們二人都用不上『無主』。不是溫庭筠自己，便是陳琳，既然下半句是『始憐君』，可知應當理解爲作者溫庭筠在憐陳琳這個王霸之才不遇明主。雖然憐陳琳，也就是憐自己，這可以從上句『詞客有靈應識我』的語氣中體會出來。從思維邏輯的角度來看，這二句的次序是倒裝了。先是憐借陳琳的霸才無主，然後才希望陳琳地下有靈，會知道我和你的遭遇相同。這樣理解，豈非句句都可通？可是在四個可能中，偏偏沒有人理解『霸才』是指陳琳的，這卻出於我的意外。

結句『欲將書劍學從軍』，郝天挺引王粲詩『從軍有苦樂』作注，也止是注出了字面的來歷，而沒有注明其意義。廖文炳解釋道：『余也飄零過此，追摹遺風，亦將以書劍之術，學公之從事於軍中也。』《唐詩選》亦採此解，釋云：『末兩句說在這裏臨風憑弔，倍覺傷感，並非無故。因爲自己也正要學陳琳的榜樣，攜帶書劍去從軍。』很奇怪，陳琳在袁紹、曹操軍府中，典記室，爲軍謀祭酒，在當時都算作『從軍』，而溫庭筠還要憐他『霸才無主』。溫庭筠在令狐綯、徐商節鎮幕中，也已經是『從軍』了，爲什麼還要學陳琳的榜樣？我以爲這一句的意義是棄文就武，用班超投筆從戎之意。作者既有感於陳琳的『霸才無主』，因此想用自己的兵書劍術去輔佐一位明主，以施展自己的王霸之才。他並不是要學陳琳的榜樣，而是要以陳琳的遭遇爲鑒戒。這一句詩，似乎前人都理解錯了。楊炯《從軍行》結句云：『寧爲百夫長，勝作一書生。』他的從軍，不是去當參軍記室啊！

八句律詩，有三句被講解得歧義紛紜，這也是說詩不易的一例。

送人東歸

荒戍落黃葉，浩然離故關。
高風漢陽渡，初日郢門山。
江上幾人在，天涯孤棹還。
何當重相見，尊酒慰離顏。

溫庭筠作行旅、送別詩，多用五言律體，與瑰麗的七言律詩、五言排律，或樂府詩迥然不同。如《利州南渡》、《商山早行》等，都是他的著名五律，已爲許多選本所選錄，現在避熟就生，舉這一首爲例。

詩題本作《送人東遊》，但注云：『一作東歸』，我以爲原本應是『東歸』，因爲詩中有『天涯孤棹還』一句可知。但也許有人看了『浩然離故關』一句，便以爲是東遊，就改了題目。以誤傳誤，至今未改正。現在我認定這是一首送友人東歸的詩。

起二句點明題目：在黃葉紛紛墜落的荒城中，你浩然有出關回鄉之志。『故關』即『舊關』或『古關』，顧予咸注引庾信詩『函谷故關前』，則此處恐怕也是指函谷關。大約有人以爲『故關』即『故鄉』，因此把詩的內容誤爲送人東遊了。『荒戍』是荒涼的邊城，可知送人之處不在都城，而在邊遠的小邑。頷聯寫景，點出東歸的目的地，可知這位朋友是回到江漢之間的老家去。頸聯抒情，從詩意來看，這兩句也是倒裝句。你是天涯孤客，現在回歸老家，在這個江漢流域中，有幾個老朋友還生存著呢？這是對東歸友人的寂寞不得志表示同情，也感慨那邊的舊友凋零，久無消息。結尾二句，表惜別之情，希望有朝一日，重新相見，大家喝一杯酒，以慰藉離別之情。情字不協韻，就用『顏』字代替。『何當』，唐人語，詩中常見，即『何時』、『何緣』。

這是五言律詩的正格。起承轉合，思維邏輯很清楚。中間二聯，一寫景，一抒情，也符合於宋人一虛一實的要求。結句所表達的也是一般人臨歧握別時的思想言語。無論從思想性或藝術性來衡量，這首詩都止是平穩而已，不能說有什麼特長，在溫庭筠的全部作品中，它也排不到上乘。但是，溫庭筠生於晚唐，他的詩就列入晚唐詩。而晚唐詩是爲後世詩論家所瞧不起的。高棅編選《唐詩品彙》，把晚唐詩人幾乎都列入『餘響』一級。後來他選定《唐詩正聲》（《唐詩品彙》的簡編本），就根本不選晚唐詩。可知他以爲晚唐詩中，沒有正聲。這種過於輕視晚唐詩的成見，使許多詩人的作品不能獲得公正的評價。溫庭筠、李商隱的那些穠麗的艷情詩，太突出了，爲初、盛、中唐所未有，即使鄙薄晚唐詩的詩論家，也不能不另眼相看。至於溫庭筠的那些歌詠行旅，遊覽山寺的五言律詩，就被壓在『餘響』中，似乎遠不如他的前輩詩人了。現在，我們即以這首《送人東歸》爲例，如果把它編在劉長卿、戴叔倫等大曆詩人的詩集中，恐怕也不會有人發覺是誤入。在《唐詩品彙》中，劉長卿、戴叔倫的五言律詩都列入『接武』一級，我就不能不爲溫庭筠叫屈了。

溫庭筠的詩，文字與意境都比李商隱淺顯，論藝術性，這是他的短處；論大衆化，這是他的長處。韋縠《才調集》選溫庭筠詩六十一首，李商隱詩四十首，爲全書諸詩人中選詩最多的，這就反映著溫、李詩在五代時的盛行，同時也說明了北宋初時行西崑體的淵源。而溫庭筠詩在當時，比李商隱有更多的讀者，也由此可見。

宋代以後，情況一變。穠麗詩以李商隱爲代表，選了李商隱就不選溫庭筠。五言律詩因爲屬於晚唐而被輕視。於是溫庭筠在唐詩中的地位大大地被貶低了。

賀裳著眼於溫庭筠詩集中的一大半艷體詩，因而說他不能淡遠、雅正和自然，現在我從溫庭筠的五、七言律詩中摘選幾聯並不穠麗的名句，以供讀者評品，大概可以證明溫庭筠不是不能作淡雅自然的詩吧！

七律摘句

波上馬嘶看棹去，柳邊人歇待船歸。（《利州南渡》）

一院落花無客醉，五更殘月有鶯啼。（《經李徵君故居》）

廟前晚色連寒水，天外斜陽帶遠帆。（《老君廟》）
野船著岸偎春草，水鳥帶波飛夕陽。（《南湖》）
湖上殘棋人散後，岳陽微雨鳥歸遲。（《寄李遠》）

五律摘句

雞聲茅店月，人跡板橋霜。（《商山早行》）
萍皺風來後，荷喧雨到時。（《盧氏池上遇雨》）
波上旅愁起，天邊歸路長。（《旅次盱眙》）
千峰隨雨暗，一徑入雲斜。（《處士盧岵山居》）
魚鹽橋上市，燈火雨中船。（《送淮陰縣令之官》）
細雨無妨燭，輕寒不隔簾。（《偶題》）
野梅江上晚，隄柳雨中春。（《和段柯古》）
鳧雁野塘水，牛羊春草煙。（《渚宮晚春》）

一九八五年三月十五日

81 溫庭筠：菩薩蠻

賀黃公《載酒園詩話》曾把李商隱、溫庭筠二人生平的長短得失做過比較。他說：詩歌箋啓，二人都不相上下。李商隱有文集流傳，溫庭筠卻沒有。溫庭筠有詞，李商隱沒有。李商隱進士及第，有科名；溫庭筠沒有。溫庭筠有一個掙氣的兒子，詩人溫憲；李商隱卻沒有。

詞，應當稱爲曲子詞，是溫庭筠在文學上的最大貢獻。儘管《唐書》本傳說他『能逐弦吹之音，爲側艷之詞』，含有鄙薄的意義，但這種『側艷之詞』卻發展而成爲中國文學上一種新興的文學形式，溫庭筠儼然成爲這種新型文學的開山祖師。

從兩漢到隋代，我國的音樂，一直是歷代朝廷制定的中原華夏民族的音樂，稱爲雅樂。南北朝時代，西涼龜茲音樂侵入中國。到隋代，南、北政權統一後，正式吸收西涼龜茲的胡樂，結合雅樂，制定了一種新的音樂，稱爲燕樂。燕，就是讌，也就是宴。燕樂是宴會所用的音樂。至於朝廷舉行大典禮，仍用古典的雅樂。

唐代音樂，最初是繼承隋代的制度。到玄宗時，又大量吸收西域各國的胡樂，製爲歌曲，名爲胡部新聲。成立左右教坊，以管理樂工雜伎。這是俗樂，亦爲燕樂。朝廷大典禮所用雅樂，仍歸太常寺管理。

安祿山亂後，有一個崔令欽，寫了一部《教坊記》，記載教坊的制度與人物。其中最重要的部分是它記錄了當時製定傳唱的二百七十八個曲名。有了曲子，必須配以歌詞。唐代詩人集中常有用歌曲名爲詩題的，這些詩就是這個曲子用的歌詞。李白有《清平樂》四首，王之渙有《涼州詞》，白居易有《何滿子》，又有《樂世》、《綠要》等，都是以曲名爲詩題。但這些詩仍是五、七言絕句，從文字組織上，看不出各個曲調音節的不同。中唐以後，漸漸地出現依據曲調的節拍爲詩，使歌唱時更便於配合音樂。例如劉禹錫的《春去也》，自注云：『依《憶江南》曲拍爲句。』『春去也』是詩題，而這兩首詩是配合《憶江南》曲調用的歌詞。其第一首云：

春去也，
多謝洛城人。
楊柳從風疑舉袂，
叢蘭挹露似霑巾。
獨坐亦含嚬。

句法，韻法，平仄黏綴，都不同於五、七言律詩。雖然編在詩集裏，其實已經是曲子詞了。不過在劉禹錫的時候，曲子詞還沒有離開詩而獨立成爲一種文學形式，所以在中、晚唐人的詩集中，這一種詩僅稱爲『長短句』而仍隸屬於詩。

《菩薩蠻》是記錄在《教坊記》中的一個曲名。有幾種文獻可以說明晚唐時這個曲子非常流行。一條是《唐詩紀事》所載：宣宗李忱愛唱《菩薩蠻》，需要新的歌詞。宰相令狐綯請溫庭筠代做了幾首進呈。令狐綯要求溫庭筠保守秘密，但溫庭筠立刻宣揚出去，因而得罪了令狐綯。另一條是《唐書·昭宗本紀》載乾寧四年（公元八九七年），昭宗李曄爲李茂貞軍隊所逼，避難在華州『七月甲戌，與學士親王登齊雲樓，西望長安，令樂工唱御製《菩薩蠻》詞。奏畢，皆泣下霑襟。』這位逃難皇帝的《菩薩蠻》詞共有二首，今抄錄其第一首：

登樓遙望秦宮殿，
茫茫只見雙飛燕。
渭水一條流，
千山與萬丘。
遠煙籠碧樹，
陌上行人去。
安得有英雄，
迎歸大內中①。

---

①大內：即皇宮。

溫庭筠代令狐綯做了多少《菩薩蠻》曲子詞，無從查考。我們今天能見到的，有《花間集》所載十四首，《尊前集》所載一首，共十五首。這裏選錄比較容易了解的四首，作爲嘗鼎一臠：

其一

小山重疊金明滅。鬢雲欲度香腮雪。懶起畫蛾眉。弄妝梳洗遲。照花前後鏡。花面交相映。新帖繡羅襦。雙雙金鷓鴣。

一般的曲子詞，都分兩段寫。每段稱爲遍，或片。上遍與下遍之間，要空一格。在音樂上，上遍是一支曲子的全部。下遍是這支曲子的復奏。因此，曲子詞的上下遍，句法大體相同。菩薩蠻曲詞上遍爲七言二句，五言二句。下遍爲五言四句。韻法是二句一韻。這首詞的韻脚是滅、雪（仄聲韻），眉、遲（平聲韻），鏡、映（仄聲韻），襦、鴣（平聲韻）。凡是《菩薩蠻》詞，都用同樣的格律。敦煌寫本曲子中有字句與一般格律不同的，都是歌唱者加進去的襯字。

這首詞描寫美人曉起的情景。上遍第一句，『小山』是屏風。一般的屏風，都是六扇相連，故云『小山重疊』。『金明滅』是寫早晨的陽光。第二句意爲濃厚的鬢髮幾乎要掩蓋了雪白的面頰。第三、四。句寫美人晏起，梳妝遲了。下遍第三、四句寫美人梳妝完畢後穿上新做的繡花衣服。看到衣上繡著成雙作對的鷓鴣，因而有所感傷。

唐五代詞的創作手法，可以溫庭筠的詞爲代表。它們都不用虛字，沒有表現思維邏輯的詞語，組合許多景語、情語，讓讀者去貫串起來，體會作者所要表達的人物、景色、情緒。但這種創作手法，僅限文人所作的曲子詞。敦煌寫本中有許多民間詩人的曲子詞，寫法就不同了。

其六

玉樓明月長相憶。柳絲裊娜春無力。門外草萋萋。送君聞馬嘶。　畫羅金翡翠。香燭銷成淚。花落子規啼。綠窗殘夢迷。

其九

滿宮明月梨花白。故人萬里關山隔。金雁一雙飛。淚痕沾繡衣。　小園芳草綠。家住越溪曲。楊柳色依依。燕歸君不歸。

其十一

南園滿地堆輕絮。愁聞一霎淸明雨。雨後卻斜陽。杏花零落香。　無言匀睡臉。枕上屏山掩。時節欲黃昏。無聊獨閉門。

以上第六、第九首是懷念旅人之作。第六首上遍第一句可以解釋爲：玉樓中，明月光照著，有人在永遠懷念。以下三句便是她所永遠懷念的、當年送他出門的情景。那時柳絲裊娜，還在初春。門外芳草萋萋，我送你出門上馬，看你去得遠了，止聽到馬嘶聲。下遍回過來寫玉樓明月中的人，看著羅衣上金繡的翡翠鳥。蠟燭已快燒完，銷融成淚了，這是表示夜深了。她睡在綠窗下，在殘夢迷離中，看見窗外花落，聽到樹上鳥啼。

這樣講解，也還是『以意逆志』的方法。作者是否如此設想，我還不敢說。例如第一句『玉樓明月長相憶』，這是李賀、李商隱、溫庭筠詩中所特有的句法。溫庭筠用這種句法作曲子詞，開創了唐末五代到北宋初期的詞風。『玉樓』、『明月』，是兩個景；『長相憶』是一個情。這三個詞語的邏輯關係如何？是玉樓中的明月，還是明月中的玉樓？『玉樓明月』是長相憶的人所居住的地方，還是所懷念的地方？作者都沒有表示明確，讓讀者自己去理解。第二句『柳絲裊娜春無力』就是一般詩人的句法。『柳絲裊娜』是柳絲嬌弱。柳絲嬌弱，便可以體會到春之無力。春是抽象的東西，它的有力無力，必須借具體景物來表現。這樣講法，這一句便是寫景句。但是我們還可以體會得深一些。講作：人到了春天，就像柳絲裊娜似的，困倦無力了。這樣講，這一句就成爲修飾句，描寫第一句中那個『長相憶』的人。此下第三、四句，意義明白，誰也不會理解錯。下遍四句，堆砌了許多名物。『畫羅金翡翠』，是不是應當理解爲『用金線繡畫的羅衣』？下一句『香燭銷成淚』，沒有不可解的困難。但它與上句有什麼關係，也還難說。『花落』句與『綠窗』句的關係，也可以有不同的體會。花落，子規啼，可以是夢中所見聞，也可以講作它們使殘夢醒來。『綠窗殘夢迷』是全詞的結尾句，也可能用以總結全文。那麼，上片四句也可能講作都是夢境。

第九首文字和意境都很明白，如白居易的詩。先以月照梨花起興，想到萬里外的故人。『金雁一雙飛』也是指衣上的繡花。翡翠、鴛鴦、蝴蝶、鷓鴣、燕子，都是雙宿雙飛的，詩人往往用以象徵生活在一處的夫婦或情侶。提到這些禽鳥昆蟲，可以不點明『雙』字。雁是群飛的鳥，但不是雌雄成對地雙飛的，如果用以象徵夫婦同行，就得說『一雙飛』；如果用以象徵夫婦離別，就可以說『兩行征雁分』（溫庭筠《更漏子》）。下遍四句，如一首五言絕句，不需要解釋。

第十一首寫一個春困的女人，全體是客觀描寫。上遍四句以寫景爲主，故多用景語，而用『愁聞』二字反映出景中人的情緒。下遍以寫情爲主，故多用情語；無言，無聊，勻臉，掩屏，閉門，都是爲表現情緒服務的。

從唐五代到北宋初期，曲子詞都是給歌女在酒席上合樂演唱的，《花間集序》云：『綺筵公子，繡幌佳人，遞葉葉之花箋，文抽麗錦；舉纖纖之玉指，拍按香檀。不無淸絕之辭，用助嬌嬈之態。自南朝之宮體，扇北里之倡風。』這就說明了曲子詞在當時的作用，不過是由綺筵公子，寫出宮體麗辭，交給繡幌佳人，按拍歌唱。從溫庭筠、韋莊到歐陽修、晏氏父子，他們所寫的曲子詞的題材，大多是閨情、宮怨、送別、迎賓，止要求文字美麗，音調宛轉，並不需要表達作者的思想情緒，更不需要有所寄托。但是，止有李後主亡國後的詞，開始有了作者自己詠懷的意味。及至蘇東坡以後，詞的題材內容，向詩靠近，於是它有時也成爲作者言志的工具。淸代的張惠言、張琦兄弟二人更進一步主張詞必須重視立意，作詞不能純用賦體，必須有比興、寄托。他們的理論，建立了常州詞派。追隨他們的理論的詞人，都用作詩的手法來作詞，詞的本色從此便消失了。

張惠言編《詞選》，用他的觀點以讀溫庭筠的詞，就把溫庭筠的《菩薩蠻》看作是一組有組織地寫成的詠懷詩。他解釋第一首道：

此感士不遇也。篇法彷彿《長門賦》，而用節節逆敘。此章從夢曉後領起，『懶起』二字含後文情事。『照花』四句，《離騷》『初服』之意。

又解釋第六首云：

『玉樓明月長相憶』，又提『柳絲裊娜』，送君之辭，故『江上柳如煙』，夢中情景亦爾。七章『闌外垂絲柳』，八章『綠楊滿院』，九章『楊柳色依依』，十章『楊柳又如絲』，皆本此『柳絲裊娜』言之，明相憶之久也。

解釋第十一首云：

此下乃敘夢，此章言黃昏。

他以爲《花間集》所收十四首《菩薩蠻》詞是一篇《感士不遇賦》。第一首是主題先行，以下各首是『節節逆敘』。第十一首以後是敘夢境，也是說明第六首『綠窗殘夢迷』的那個夢。又把十四首中所有楊柳結合起來，認爲都是與第一首『柳絲裊娜』有聯繫。

我們能不能在這十四首詞中體會到溫庭筠寄托著他的『不遇之感』，這個問題暫且不提。先要看看溫庭筠之爲人，以及他的詩裏有多少比興寓意的篇什。溫庭筠是個逞才氣而生活放誕的文人，他當然也有牢騷，也有不遇之感，但他不是屈原式的人物。他的詩極少用比興方法，《過陳琳墓》詩的『詞客有靈應識我，霸才無主始憐君』，已經是他表白得最露骨的不遇之感了。詩既少用比興，曲子詞裏更不會用比興手法。這十四首《菩薩蠻》詞，很可能就是他代令狐綯做了進呈宣宗皇帝，以供宮廷樂工演唱，當然更不可能，也不需要寄托他的不遇之感。因此，我以爲張惠言兄弟的理論，可以用在蘇東坡以後的一部分詞作，但不能用以解釋李後主以外的唐、五代詞。

溫庭筠的詞，我們止能與六朝小賦一起欣賞。它們是中國文學中的一種美文學，不能評價太高，也不必輕視。

一九八五年三月二十日

82　杜牧：七言絕句十一首

杜牧是著《通典》的史學家杜佑的孫子。家世歷代仕宦，是一個淸貴子弟。他字曰牧之，李商隱有一首《贈司勛杜十三員外》詩，前四句云：

杜牧司勛字牧之，淸秋一首杜陵詩，
前身應是梁江總，名總還曾字總持。

梁朝的著名詩人江總，字曰總持，李商隱詩用杜牧的名字來開玩笑，比之爲江總。這首詩是杜牧官司勛員外郎時寫贈的，故稱之爲杜司勛。

杜牧這個人，在唐詩人中有些突出。他的文學、思想和品德，都有互相矛盾之處。進士及第後，他在宣州刺史沈傳師幕下爲書記。聽說湖州多美女，就去遊覽。湖州刺史崔公，是他的老朋友，把本州所有名妓都找來，供他選擇，他卻一個也不滿意。刺史爲他舉行了一次賽船大會，引逗得全城姑娘都出來觀看。杜牧沿著兩岸一路物色過去，也看不到一個中意的姑娘。到了傍晚，忽然看見一個老太太帶來一個十多歲的小姑娘，杜牧仔細一看，認爲是絕世佳人。當下就托人去和老太太商量，要娶這

杜牧

個姑娘。老太太很畏懼，面有難色。杜牧說：現在不娶，我十年之後，會到這裏來做刺史，那時再娶你的姑娘。如果十年不來，你的姑娘就可以嫁別人。於是給了老太太許多財帛，以爲訂婚的禮物。十四年後，到大中三年（公元八四九年），杜牧果然來做湖州刺史。一到任，就訪問那個姑娘，才知她已在三年前嫁了人，而且有兩個孩子了。杜牧大爲惆悵，寫了一首《悵別》詩：

自是尋春去較遲，不須惆悵怨芳時。
狂風落盡深紅色，綠葉成陰子滿枝。

這是杜牧第一個浪漫史，見於《麗情集》。故事可能是眞的，但年代卻不正確。沈傳師卒於大和元年（公元八二七年），做宣州刺史還在其前，大約應當在長慶末年。杜牧卒時年才五十，大約在大中五年。做湖州刺史之後，還入京拜考功郎中，知制誥。不久，又遷中書舍人。這樣看來，他任湖州刺史也當在大中三年以前。從長慶末年到大中初年，已有二十多年，可知這個記載的年代是不可信的。

牛僧孺任淮南節度使，把杜牧請去掌書記。淮南節度使治所在揚州。揚州是個妓女樂舞薈萃的繁華都會。杜牧在牛僧孺幕下，白天辦公，夜晚便出去狎妓飲宴，過他的風流生活。牛僧孺卸任臨行時，取出一個大盒子，交給杜牧。杜牧打開一看，都是牛僧孺部下探子的報告，一條一條寫著：『某月某日，杜書記在某處宴飲。』『某月某日夜，杜書記在某妓院中歇宿。』『某月某日，杜書記與某人在某處遊覽，有某某妓女陪同。』杜牧一看，大爲羞慚，同時也深深地感激牛僧孺對他的寬容。牛僧孺稍稍教訓他一番，勸他檢點品德，不要太浪漫了。杜牧對牛僧孺是非常感恩的，牛僧孺死後，墓誌銘便是杜牧做的。

牛僧孺卸任後，杜牧也升了官，到洛陽去任監察御史。他在離開揚州時，做了三首詩：

贈別二首

娉娉裊裊十三餘，豆蔻梢頭二月初。
春風十里揚州路，卷上珠簾總不如。
多情恰似總無情，惟覺樽前笑不成。
蠟燭有心還惜別，替人垂淚到天明。

遣懷

落魄江湖載酒行，楚腰纖細掌中輕。
十年一覺揚州夢，贏得青樓薄倖名。

前二首是與他所眷戀的妓女離別時寫贈她的。後一首是他在揚州這一段浪漫生活的總結，也是懺悔詞。牛僧孺於大和六年任淮南節度使，至開成二年（公元八三七年）五月，上表請休，在揚州實止五年。杜牧詩云：「十年一覺揚州夢」，如果不是誇張，必是在此前後還住過四五年。在他的詩集中，賦詠揚州的詩，還有好幾首，可見他對揚州是非常眷戀的。

寄揚州韓綽判官

青山隱隱水迢迢，秋盡江南草未凋。
二十四橋明月夜，玉人何處敎吹簫。

韓綽是淮南節度使幕下判官，是杜牧的同事，恐怕也是他的狎邪遊侶。這首詩是杜牧離揚州後因懷念他而寫寄的。「草未凋」明刊本《樊川文集》、《唐詩品彙》及《全唐詩》均作「草木凋」，今依《唐詩別裁》改正。「草未凋」，可知是江南氣暖，如果說「草木凋」，便不是描寫江南風景了。揚州傳說：隋煬帝曾於月夜同宮女二十四人吹簫於橋上，故詩中用「玉人」，向來都講作「美人」。富壽蓀《唐人絕句評注》據晉人裴楷、衛玠都有「玉人」之稱，況且杜牧《寄珉笛與宇文舍人》詩亦有「寄與玉人天上去」之句，因而以爲此詩中的「玉人」是指韓綽而言。這一講法極爲新穎，而且是有證據，可以講通的。韓綽大概不久即逝世，杜牧有一首《哭韓綽》的詩哀悼他。

以上是杜牧第二個浪漫史。從淮南還京，官拜監察御史，分司東都①。於是他到了洛陽。這時，李願罷官，在洛陽閒居，家妓美艷，生活豪奢，不時邀集當地名流，置酒高會。因爲杜牧是監察御史，有糾彈官員的職責，不便請他參加有妓樂的宴會。杜牧感到冷落，托人去向李願說，希望被邀請赴宴。李願不得已，就送了請帖。酒席間，杜牧瞪著眼看許多侍酒的妓女。連飲三杯，問李願道：『聽說有一個名叫紫雲的，是那一個？』李願就指點給他看。杜牧又瞪著眼對紫雲看了好久，說道：『名不虛傳。該送給我吧？』李願低頭微笑，並不答話。許多妓女都回頭來對著他笑。杜牧又連飲三杯，站起來朗吟了一首即席詩，意態閒逸，旁若無人：

兵部尚書席上作

華堂今日綺筵開，誰喚分司御史來。
忽發狂言驚滿坐，兩行紅粉一時回②。

這是杜牧的第三個浪漫史。以後，他歷任中外許多官職。外任做過黃州、池州、睦州、湖州刺

---

①洛陽是東都，有一部分中朝官員在洛陽辦公，名爲『分司』，即分管之意。
②這首詩有不同的文本。『誰喚』，一作『誰召』。『忽發』一作『偶發』。『兩行紅粉』，一作『三重粉面』。均非。

史，每到一個州郡，都有贈妓、書情之類的詩作，不過沒有故事記錄而已。

寫艷情詩，有風流放誕的行爲，止是杜牧的文學生活的一面。他另外還有一面，那是他的政治生活。他爲人剛直，有經綸天下的大志，敢於論列國家大事。他的散文如《罪言》、《原十六衛》、《戰論》、《上李太尉論邊事啓》等，都是針對時事的政論。我們如果先讀他的散文，想像不到他會做『十年一覺揚州夢』的詩句。這是我說他的一種矛盾。

杜牧的詩既寫得風流旖旎，但是他對於詩的理論卻又非常正統。他曾爲平盧軍節度巡官李戡作墓誌銘，在這篇文章中，他記述了李戡的文藝觀點：『詩者，可以歌，可以流於竹，鼓於絲。婦人小兒，皆欲諷誦。國俗厚薄，扇之於詩，如風之疾速。嘗痛自元和以來，有元白詩者，纖艷不逞，非莊士雅人，多爲其所破壞。流於民間，疏於屛壁，子父女母，交口教授，淫言媟語，冬寒夏熱，入人肌骨，不可除去。吾無位，不得以法治之。』這一段話，對元稹、白居易的批判，可謂極其尖銳。如果杜牧自己不同意這個觀點，他決不會在李戡逝世之後給他記錄下來。因此，後世詩家評論杜牧，都引用這一段文章來代表杜牧的詩論。況且杜牧另有《獻詩啓》一文，敍述他自己作詩的態度云：『某苦心爲詩，本求高絕，不務奇麗。不涉習俗，不今不古，處於中間。旣無其才，徒有其奇。篇成在紙，多自焚之。』這也可見他是反對奇麗的。不過他自知沒有作高古詩之才，而僅能作奇麗詩。但是，使我們懷疑的是，他旣然批判元白詩爲『纖艷不逞』，爲『淫言媟語』，可是他自己詩也很多是『纖艷』的『淫言媟語』，這豈不是又一個矛盾呢？

現在流傳的杜牧詩文集，止有一個明刊本《樊川文集》。這是杜牧的外甥裴延翰編定的。據裴序說，杜牧任中書舍人時，就生病了。搜集生平所作文章千百紙，一一丟在火裏，止留下十分之二三。幸而裴延翰平時收藏了不少手跡，才收集得詩文四百五十篇，分爲二十卷。在這個二十卷本之後，還有一個《樊川外集》，不知何人所編；又有《樊川別集》，是宋熙寧六年三月一日杜陵田槪所編。田氏序稱『舊傳集外詩者，又九十五首，家家有之』。可知《外集》亦是晚唐、五代時古本，也可能是裴延翰搜輯附入。不過田氏說外集有詩九十五首，現在的外集卻有詩一百二十七首，顯然已有後人增入的。田槪所編《別集》是從魏野家得詩九首，從盧訥家得詩五十首，都是《樊川文集》和《樊川外集》所沒有的，另外又加一首《後池泛舟送王十秀才》，《外集》有此題而詩實爲僞作。這樣，《別集》應有詩六十首，今世傳本不誤。

《全唐詩》編錄杜牧詩八卷，其前六卷就是《樊川文集》中的詩和《外集》、《別集》。後二卷詩及補遺，又不知來歷。杜牧的一些著名絕句和纖艷之作，大多在《外集》和《別集》中，由此可知，杜牧有意使他的詩集面目符合於他的詩論，當時曾燒掉許多麗情詩，不編入集。後人從流傳的鈔本中一再輯補爲《外集》、《別集》，才得保存了一部分。

杜牧詩的特長在七言絕句。大篇詩如《張好好》、《杜秋娘》、《華淸宮三十韻》等也很著名，但比不上絕句的有神韻。現在我們還是再欣賞他幾首絕句。

過華清宮絕句三首

長安回望繡成堆，山頂千門次第開。
一騎紅塵妃子笑，無人知是荔枝來。
新豐綠樹起黃埃，數騎漁陽探使回。
霓裳一曲千峰上，舞破中原始下來。
萬國笙歌醉太平，倚天樓殿月分明。
雲中亂拍祿山舞，風過重巒下笑聲。

玄宗與楊貴妃的軼事，開元、天寶年間的盛衰，中、晚唐詩人都極感興趣，幾乎人人都有詩詠嘆，表示各種不同的感情。杜牧對驪山、華清宮屢有感興，既作《華清宮》五言排律三十韻的長詩，又作此七言絕句三首。這三首詩，一般選本都止選第一首，第二首則宋人詩話中有過好評。至於第三首，就沒有人提起過。這就反映出了歷來詩家對這三首詩的評價。現在我把三首詩一起抄錄下來，讓大家評比。

第一首是詠蜀中進貢荔枝的事。『繡成堆』，指驪山像一堆錦繡。第一句寫驪山，第二句寫華清宮。這兩句止是點題，還不知道詩人將說些什麼。第三句一轉，在紅塵揚起的地方有一人騎馬飛奔而來，同時在山上宮中，貴妃已在笑了。第四句不說貴妃知道四川新鮮荔枝已經送到，所以在笑，卻說沒有人知道是荔枝來了。這兩句的表現手法很高明，第四句本來要說明第三句，但作者不從正面說明，而從反面說明，愈顯得這是宮闈祕事。

第二首第一句說新豐市綠樹叢中捲起了黃沙塵土。第二句說明這是派到漁陽去調查安祿山行動的探子回來了。有人報告玄宗，說安祿山即將造反。玄宗就派人去秘密調查。但這些使者受了安祿山的賄賂，回來報告說安祿山沒有造反的跡象。其實這時安祿山已在發兵了。第三句也是一轉，說這時驪山上還在演奏新製的霓裳羽衣曲，還在歌舞昇平。可是，第四句說：待到歌舞完畢，大家下山來，中原已經破碎了。這首詩和第一首的作法不同。第三句第二字用平聲字，因而是拗體絕句。主題思想是諷刺玄宗以荒淫誤國，與第一首的用賦體也不同。

第三首是叙述安祿山在長安時得寵於玄宗和貴妃的時候，儼然是萬國笙歌，陶醉於太平的時候，當時安祿山也在山上宮中參與跳舞，連山下人民都聽到他們的笑聲。這首詩止有一個『醉』字透露了諷刺之意，此外的字句都較爲平淡。第三句尤其粗魯。因此是一首寫得失敗的詩，無怪沒有人提起。

赤壁

折戟沉沙鐵未銷，自將磨洗認前朝。
東風不與周郎便，銅雀春深鎖二喬。

這是唐詩中第一流的懷古詩。赤壁是山名，山崖紅赭，故名曰赤壁，在今湖北蒲圻縣西北長江邊。建安十三年，（公元二〇八），曹操造了幾百條大戰艦，準備大擧征伐孫吳。周瑜採用黃蓋所獻的火攻計，趁東南風起，大破曹軍於赤壁山下，將曹操的戰艦焚燒無餘。銅雀臺是曹操晚年（建安十五年）所造的樓臺，上居姬妾歌伎，以供其四時行樂。這個臺在今河北臨漳縣，就是當年曹魏的鄴都。臺已不存，遺址還在。二喬是喬公的兩個女兒，據說長得極美。大喬嫁給孫策，小喬嫁給周瑜。以上是這首詩的歷史事實。

詩的第一、二句說，當年赤壁大戰時折斷的戈戟還沉埋在江中沙土裏，鐵還沒有銷蝕。詩人檢到了幾塊廢鐵，自己拿去磨洗一番，認出是古代魏吳戰爭時的遺物。古代兵器上都鑄有銘文，所以詩人能認得。這兩句詩的作用也不過是點明題目，表示這是一首赤壁懷古詩。

下半首詩是詩人在賞玩這幾塊廢鐵時的感想。如果當時沒有東南風而止有西北風，這場戰爭的結果就不同了。也許是曹軍大獲全勝，順流而下，把吳國滅掉。詩人並不把這一感想如實地寫下來，他改用形象思維來表達。如果東風不給周瑜以方便，那麼，二喬肯定會被曹操俘去，深藏在銅雀臺上了。東風是自然現象，沒有感情。在這句詩中，它被人格化了，似乎東風也對周瑜有好感，特地給他以方便。『銅雀春深鎖二喬』是一幅很美的形象，但詩人止是用來代替孫吳的破家亡國。

『東風不與周郎便』，從散文語法規律看，這是一種肯定語氣，東風沒有給周瑜以方便。但在唐詩中，它可以表達爲假定語氣。因爲唐代詩人都盡可能不用『如果』、『倘若』、『何況』、『但是』這一類的轉折語，止要上下句貫串得當，讀者自能判斷其語氣。到了宋代，文言文的語法觀念強了，詩人就不敢做這樣的詩句，他們一定會寫成『東風若不與方便』這樣的句子。從此，詩與散文的句法沒有區別，也就是以文爲詩了。宋人《道山淸話》論此詩云：『此詩正佳，但頗費解說。』他知道這首詩做得好，但是他無法解說，就因爲他不了解第三句是假定語氣。

淸人吳喬撰《圍爐詩話》，論此詩云：『古人詠史，但叙事而不出己意，則史也，非詩也。出己意，發議論，而斧鑿錚錚，又落宋人之病。如牧之《赤壁》詩，用意隱然，最爲得體。』他指出杜牧此詩用隱晦的方法來發議論，出新意，這是抓到要點的。但他以爲這是一首詠史詩，卻未免差錯。杜牧此詩是懷古，不是詠史，這二者之間的區別，吳氏大約沒有分得淸。

泊秦淮

煙籠寒水月籠沙，夜泊秦淮近酒家。
商女不知亡國恨，隔江猶唱後庭花。

這首詩自從選入《唐詩三百首》以後，成爲唐詩中最爲家弦戶誦的一首。近年出版的唐詩選本，幾乎無不選取。注釋已多，我本來不想在這裏講談。不過近來發現有兩處詩義，未被注意，或者有些奇特的講法，因而趁此機會，談談我的意見。

第一是關於『秦淮』的問題。所有的注釋本都說秦淮就是秦淮河，這當然沒有錯。但是，從明代以來，一般人所知道的秦淮河僅是南京城內的一段。明淸兩代，這一段秦淮河兩岸都是花街柳巷。這裏有酒家，有妓院，有遊船畫舫。杜牧既然『夜泊秦淮近酒家』，而且還聽到商女唱曲子，大家便以爲就在這裏。這卻錯了。原來秦淮河由東向西，穿過南京城，分兩股流入長江。李白詩『二水中分白鷺洲』，這『二水』便是秦淮河的兩股，中間的小島便是白鷺洲。秦淮河口在唐代是長江的碼頭，當時客商船隻到了南京都停泊在秦淮河口，杜牧夜泊秦淮，也是在這個地方。現在，白鷺洲早已沒有，秦淮河口也不是江船上下的碼頭，於是這句詩的讀者都誤以爲杜牧的船停泊在南京城裏的秦淮河上。

秦淮河口既然在唐代是個水陸碼頭，那地方一定是個熱鬧去處，一定有酒樓歌館，市肆旅店。杜牧在船上聽到隔江有歌女在唱『玉樹後庭花』這支陳後主的亡國之音，也一定在這個地方。所謂『隔江』，就是『隔岸』或『對岸』，是秦淮河口的對岸。這個『江』字不能理解爲長江。陳寅恪在《元白詩箋證稿》中說：

牧之此詩所謂隔江者，指金陵與揚州二地而言。此商女當即揚州之歌女而在秦淮商人舟中者。夫金陵，陳之國都也。『玉樹後庭花』，陳後主亡國之音也。此來自江北揚州之歌女，不解陳亡之恨，在其江南故都之地，尚唱靡靡之音，牧之聞其歌聲，因爲詩以詠之耳。此詩必作如是解，方有意義可尋。後人昧於金陵與揚州隔一江及商女爲揚州歌女之義，模糊籠統，隨聲附和，推爲『絕唱』，殊可笑也。

這一番解釋，似乎有些『匪夷所思』。爲什麼這個商女，必須是揚州來的呢？就因爲白居易詩說過『本是揚州小家女，嫁得西江大商客』（《鹽商婦》），劉禹錫詩也說過『揚州市裏商人女，來佔西江明月天』（《夜聞商人船中箏》），於是作者就認定杜牧在船上聽到的唱曲子的商女，一定是嫁在秦淮商船上的揚州姑娘。這個邏輯思維已經是很古怪了。再說，杜牧詩中沒說這個商女是在船上唱曲子，作者何以知道她是在秦淮商人舟中呢？既然這個商女是在秦淮商人的船上唱，爲什麼杜牧又是隔著長江聽到呢？這段解釋，顯然是前後矛盾。這首詩如果照陳寅恪的講法，簡直毫無意義可尋；如果照歷來一般讀者『模糊籠統』的了解，至少這首詩的意義是可以掌握的。意義是什麼呢？吳昌祺說：『此似譏艷曲也。』（《刪訂唐詩解》）我完全同意。杜牧是反對當時流行的靡靡之音的。不過他自己寫的詩，也頗近似艷曲，歸根結底，還是他自己的矛盾。

一九八五年三月二十四日

83 許渾：金陵懷古

許渾，字用晦，潤州丹陽（今江蘇丹陽）人。大和六年（公元八三二年）進士，歷任當塗、太平二縣縣令。因爲勤學勞心，損其健康，卧病多年。後來病愈，任潤州司馬。大中三年（公元八四九年），拜監察御史，歷任虞部員外郎，睦州、郢州刺史。晚年退隱，居丹陽丁卯橋。自編其詩集，名爲《丁卯集》。

許渾詩爲晚唐一大家，長於五、七言律詩，紀遊、懷古、贈別，都有佳句。七言絕句亦富情趣。《唐詩鼓吹》選許渾七言律詩至三十一首之多，亦可以反映他在晚唐詩人中的地位。

許渾也做過一個美夢，孟棨《本事詩》中有記錄。據說他有一天睡夢中登上一座高山，山上有宮殿精舍。就找人一問，這是什麼地方。人說：這是崑崙山。走了一程，看到有幾個人在宴會，飲酒作樂。看見許渾，便招手邀他去就坐同享。直到傍晚，有一美人，取出箋紙，要求他賦詩。許渾詩沒有做成便醒了，既醒之後，詩卻做成：

曉入瑤臺露氣清，座中惟見許飛瓊。

塵心未盡俗緣在，十里下山空月明。

過了幾天，他又夢到山上，遇見那個美人。她說：『你怎麼把我的名字傳到人間去了？』許渾連忙道歉，並說，我改一句罷。於是把第二句改為『天風吹下步虛聲』。可是，許飛瓊的名字已流傳在神話故事中，成為古典文學中的一位仙女了。『步虛』是道家的名詞。仙人在天空中行走，腳步都踏在虛空，稱為『步虛』。道家所唱的詩歌，稱為『步虛詞』。賦詠學道求仙的詩，也就稱為『步虛詞』。以上是許渾的一個浪漫故事，可與李群玉同垂不朽。在這裏，就算作講許渾詩的一段入話。現在要講的是他的一首著名的懷古詩。

金陵懷古

玉樹歌殘王氣終，景陽兵合戍樓空。
松楸遠近千官冢，禾黍高低六代宮。
石燕拂雲晴亦雨，江豚吹浪夜還風。
英雄一去豪華盡，惟有青山似洛中。

金陵就是現在的南京。這個大城，在唐代以前，曾有六個朝代做過京都。這六個朝代是三國時的吳、東晉、宋、齊、梁、陳。陳後主陳叔寶被隋文帝楊堅所滅亡，金陵便結束了首都的地望。唐代詩人和歷史學家常稱金陵爲六代或六朝故都。後世人直到今天，也還相沿成俗，稱南京爲六朝故都，甚至簡稱爲六朝，這是失於考慮的。五代時的南唐、明、太平天國、民國政府，也都以南京爲首都。從今天來說，南京已是十代故都了。

許渾這首詩，從陳後主亡國說起。陳後主亡國之時，還在教宮女唱新譜的歌曲《玉樹後庭花》。『王氣』這個名詞用在這裏，有雙重典故。第一，語源出於《晉書》。據說秦始皇時，有一個能看風水的人說，金陵這個地方，像龍蟠虎踞，有天子氣象，五百年後，一定會出一個皇帝。始皇怕他子孫的皇位被別人奪去，就發兵把城北的山開掉，並把地名改爲秣陵，以蕩滌它的王氣。第二，是陳後主自己的故事，見於《南史》。據說陳後主聽到隋軍已渡江進攻，便說：『王氣在這裏，別怕，敵人必定自會失敗。』這個昏君到臨死時還想依靠他的『王氣』。所以許渾詩第一句便狠狠的譏笑了一下：『玉樹歌殘王氣終。』『景陽』是陳後主宮中的樓名。樓前有井一口，隋兵衝入景陽宮時，後主和他的孔貴妃、美人張麗華一起投井自殺，被隋兵拉了出來。所以許渾說：『景陽兵合戍樓空。』戍樓是邊境上的碉堡，敵人已攻入京都，戍樓當然已空無一人了。這二句也是用對偶句法的。

頷聯二句說六代以來的達官貴族的墳冢，現在已止見遠近的松楸。向來是宮殿巍峨的地方，現在已止有高高低低的禾黍。這二句是以寫景來抒述懷古之情，接下去頸聯二句雖也寫景，便比較空泛，並不貼切歷史事實了。結尾二句，是從六代故都的觀點來做結束，『英雄』指六代以來的傑出人物，並不指陳後主。我們可以解釋爲當時沒有英雄人物，以致豪華被毀盡了。南京地形與洛陽相似，故李白《金陵》詩云：『苑方秦地少，山似洛陽多。』許渾詩即用此意。

以上是從文字典故表面解釋一下。現在，接下去我們再參看一些對這首詩的總的理解。《唐詩鼓吹》有明代人廖文炳的解釋云：

此感六朝興廢也。首言陳後主專事遊宴，至於國亡，而玉樹之歌已殘，王氣亦已盡矣。隋之韓擒虎將兵入陳，而景陽戍樓，已成空虛，但見松楸生於千官之冢，禾黍滿於六代之宮。冢殿荒蕪，霸圖消滅，良可惜也。自古及今，惟石燕飛翔，江豚出沒，景物常存耳。若英雄一去，豪華殆盡，不復再留，豈有能若青山之無恙哉？

接著還有一段淸人朱東岩的評論云：

劉夢得《西塞山懷古》，單論吳主事，只五句一轉，用『幾回』二字收拾世代廢興，手法高妙。許公此篇，單論陳後主事，只一起『王氣終』三字，已括盡六朝，尤爲另出手眼。『玉樹歌殘』與『景陽兵合』作對，直將鼎革改命大事，視同兒戲，眞可慨也。松楸禾黍，皆當時朝朝瓊樹，夜夜壁月之地、之人，正與下『豪華』二字反照。嗟嗟！英雄已去，景物常存，雨雨風風，年年依舊，獨前代豪華，杳不復留矣。『青山似洛中』，猶言不似者之正多也。

朱東岩此論引劉禹錫《西塞山懷古》詩作比較，很有意思，我現在把劉詩抄在這裏，供讀者參考方便：

西塞山懷古

王濬樓船下益州，金陵王氣黯然收。
千尋鐵鎖沉江底，一片降幡出石頭。
人世幾回傷往事，山形依舊枕寒流。
今逢四海爲家日，故壘蕭蕭蘆荻秋。

許渾詩與劉禹錫此詩果然有些近似。『山形依舊枕寒流』和『惟有青山似洛中』用意同而許句較深。『人世幾回傷往事』和『英雄一去豪華盡』亦是同一機杼的句法，二人都點出了懷古之意，其實不點出可以更妙。

唐汝詢《唐詩解》評許渾詩云：

金陵本六朝建都之地，至陳主荒淫，王氣由此而滅，故以玉樹發端，遂言後主就縛景陽而戍樓空寂也。雖千官之冢樹猶存，而六代之闕庭已盡，惟餘石燕江豚，作雨吹風而已。然英雄雖去，而青山盤鬱，足爲帝都，徒使我對之而興慨耳。

下面再看看金聖嘆在《選批唐才子詩》中的解釋。聖嘆講七言律詩，分前後兩解：前四句爲前解，後四句爲後解。前解是開，後解是合。這就是起承轉合的簡化。他講許渾此詩，也分兩解：

〔前解〕此先生眼看一片楸梧禾黍而悄然追嘆其事也。一、二，『玉樹歌殘』，『景陽兵合』，對寫最妙。言後庭之拍板初擎，采石之暗兵已上；宮門之露刃如雪，學士之餘歌正清；分明大物改命，卻作兒戲下場。又加『王氣終』，『戍樓空』，對寫又妙。言天之既去，人皆不應，眞爲可駭可憫也。於是合殿千官，盡成瓦散；六宮臺殿，咸委積莽。如此楸梧禾黍，皆是當時朝朝瓊樹，夜夜壁月之地、之人也。

〔後解〕此又快悟而痛感之也。言當時英雄有英雄之事，今日石燕亦有石燕之事，江豚亦有江豚之事。當時英雄有事，而極一代之豪華；今日石燕、江豚有事，而成一日之風雨。前者固不知後，後者亦不知前也。『青山似洛中』，掉筆又寫王氣仍舊未終，妙妙。

以上我抄錄了明清四家對許渾這首詩的全篇講解。一經對照，我們可以發現，除掉第一聯二句，大家的意見相同之外，其餘三聯，四家的體會各有參差。我們先看第二聯『松楸』、『禾黍』二句。

但見松楸生於千官之冢，禾黍滿於六代之宮。冢殿荒蕪，霸圖消滅。

這是廖文炳的講法。他以爲『千官冢』是六代以來許多官員的墳墓，與『六代宮』是對等平列的。上下二句，都是描寫昔盛今衰的景象。但是，我們知道，松楸本來是種在墓地的樹木，如果墳墓已荒涼無主，這些松楸必然已被人砍伐無存。向來詩家總以松楸之有無，來表現墓主有無子孫。由此可知，許渾這一聯詩，『禾黍高低』是形容『六代宮』的荒蕪，『松楸遠近』卻並不是形容『千官冢』的荒蕪。於是朱東岩說：

松楸禾黍，皆當時朝朝瓊樹，夜夜壁月之地、之人，正與下『豪華』二字反照。

他把上句的重點放在『千官冢』。意思是說，六代以來豪華的人物已成爲松楸茂鬱的墳墓，而豪華的宮殿已成爲禾黍高低的田野。這樣講，這二句也是對等平列的。

雖千官之冢樹猶存，而六代之闕庭已盡。

這是唐汝詢的講法。他與朱東岩的講法又有歧異。他並不以爲上句有盛衰之感。他給上句加了一個『雖』字，給下句加一個『而』字，再用『猶存』和『已盡』來表示他所理解的這二句的邏輯關係，於是它們就不是對等平列的了。按照一般作對偶句的習慣，一聯二句，詩意總該是對等平列的，如果作者要用來表示因果關係，或正反、是非關係，上下句都必須有一個虛字來表明。許渾這二句詩全用實字，看不出詩意有正反關係。唐汝詢的講法不能服人，他是任意增字講詩，恰恰成爲曲解。

於是合殿千官，盡成瓦散；六宮臺殿，咸委積莽。如此楸梧禾黍，皆是當時朝朝瓊樹，夜夜璧月之地、之人也。

這是金聖嘆的講法。用朱東岩的觀點還抄了朱東岩的結句。他們都以爲這首詩是『單論陳後主事』，所以『官』與『宮』都是陳朝的人與地。朱東岩沒有分別說明，金聖嘆卻分別說明了，人是『合殿千官』，地是『六宮臺殿』。許渾明明說是『六代宮』，金聖嘆卻移花接木，改爲『六宮』。

總結四家講法，我以爲沒有一家完全可取。首先要知道，許渾此詩雖以陳後主事起興，懷古的對象卻在六朝。題目既然是《金陵懷古》，詩意不能止局限於陳後主一朝。況且第四句已點明是『六代宮』，更可知『千官』應當包括六代以來的人物。至於這二句詩的意義是慨嘆六代繁華之地、之人，俱已成爲陳跡，這是朱東岩、金聖嘆的觀點，沒有錯。廖文炳、唐汝詢的講法是不足取的。

現在我們接下去研究第三聯『石燕』、『江豚』二句。這二句詩確是不易理解，摸不準作者寫這二句的用意。『石燕』，《唐詩鼓吹》注引《湘中記》云：『零陵有石燕，得風雨則飛翔。風雨止，還爲石。』『江豚』，《唐詩解》注引《南越志》云：『江豚似豬，居水中，每於浪間跳躍，風輒起。』可知此二物都與風雨有關，但與金陵或六朝毫無牽涉。諸家解釋，都無法單獨講此一聯，總得與上下文聯繫起來理解。廖文炳說：『宮冢荒蕪，霸圖消滅，良可惜也。自古及今，惟石燕飛翔，江豚出沒，景物常存耳』。這是聯繫上句講的。朱東岩說：『英雄已去，景物常存。雨雨風風，年年依舊，獨前代豪華，杳不復留矣。』這是聯繫下句講的。唐汝詢說：『千官有冢，六代無宮，惟餘石燕江豚，作雨吹風而已。』這也是聯繫上句的。吳昌祺在唐汝詢的評論上加了一個眉批：『言石能作雨，豚亦興風，而英雄一死，則無復豪華也。』（《刪訂唐詩解》）他又是聯繫下句了。按照一般習慣，律詩第五、六句一聯的作用在啓下，詩意總是貫注到最後二句的。朱東岩、吳昌祺的講法是傳統的讀詩法。不過許渾這首詩的第七句實在是『松楸禾黍』一聯的概括，意義相同，故廖文炳、唐汝詢的講法也講得通。他們都以爲『石燕江豚』一聯的作用是爲存亡對比服務。『石燕江豚』代表萬古常存的事物，千官、宮殿、英雄、豪華，代表已經消亡的六朝歷史事物。

金聖嘆的解釋最爲奇特。這裏不再重錄，請讀者檢閱上文。他用了一百字講這二句詩，無緣無故的突出一個『事』字，和下句的『英雄』聯繫。對比的意義，不在存亡，而在『昔日英雄之事』和『今日石燕江豚之事』。昔日之英雄不知今日之燕豚，而今日之燕豚亦不知昔日之英雄。講得似乎很有玄機，實則是自己沒有明確的理解，這又是金聖嘆大言欺世的一種手法。

賀裳《載酒園詩話》對於石燕的注，以爲是『大謬』，他說：『金陵有燕子磯俯臨江岸，此專詠其景耳，何暇遠及零陵。』他提出石燕指燕子磯，可謂妙悟。許渾作此詩時，可能是暗用燕子磯以代表金陵的自然風物。但旣用石燕這個名詞，就很自然地會利用零陵石燕與風雨的關係，形象地描寫燕子磯頭雖在晴天，亦似有雨。石燕雖出於零陵，詩家用作典故，當然不必『遠及零陵』。不過，石燕問題解決了，使這一句詩扣緊了金陵。那麼，江豚怎麼辦？是不是金陵還有的歷史或地理上，還可以找到一個江豚的記錄？

留下來的，還有這首詩的最後一句『惟有青山似洛中』，應當怎樣理解？廖文炳解釋爲：『豈有能若青山之無恙哉？』這就丟開了『洛中』。朱東岩解釋爲：『猶言不似者之正多也。』這個講法是強調了『惟有』二字。『只有青山像洛陽，其餘一切都不像洛陽』。朱東岩的意思是以爲應當這樣講。但是，如果說這是符合於作者本意的，那麼，作者要表示的到底是什麼呢？唐汝詢釋作『青山盤鬱，足爲帝都』。這說明他以爲『洛中』是都城的代用詞。全句的意思是：『惟有青山，還像個都城。其他都不成其爲都城了。』這樣理解，我看也是講不通的。誰能說一座山像一個都城呢？

金聖嘆說：『青山似洛中，掉筆又寫王氣仍舊未終，妙妙！』這個講法，和唐汝詢的出發點是近似的。金聖嘆以爲『洛中』代表『王氣』，所以這一句詩是說王氣仍舊未終，因爲青山還在。金聖嘆這一解釋，反使人糊塗。許渾詩第一句就說『王氣終』，怎麼會在結句說『王氣仍舊未終』呢？而金聖嘆卻連聲叫好：『妙！妙！』妙在前後矛盾嗎？

賀裳評此詩結尾二句云：『語稍未練，亦自結得住。』他沒有闡發詩意，止是說句子稍嫌不夠『練』，但亦可以作爲結句。這個評語非常含糊，『練』字尤爲模稜。是語法沒有精練呢，還是詩意沒有表明？我恐怕賀裳自己還沒有理解這二句的意義。

《唐詩選》的編者解釋云：『這兩句說英雄一去，豪華便盡，不復再留，只有青山依然無恙似洛中。從金陵想到洛陽，因爲這兩個地方能引起同樣的感慨。』這一解釋，頗有意味，爲前人所未道。可惜編者沒有具體說明這個『同樣的感慨』是怎麼一回事，因而我不敢認爲編者已理解了許渾的本意。

金陵的地理形勢和洛陽相似，這是古代地理書上有記錄的，應當引用來爲這一句詩作注。但是注明了這一點，並不等於注明了詩意。許渾如果僅僅因兩地形勢相似而寫出這句詩來爲《金陵懷古》詩作結束語，又有什麼意味呢？看來，許渾這首詩傳誦了千多年，始終還沒有人理解其結句。

事情要追溯到二百七十年以前去。當司馬氏的晉朝政權狼狽渡江，偏安江左的時候，許多士大夫都有國亡家破的痛苦。金陵正在孫吳故都的基礎上修建爲東晉新都。《世說新語》記了一個故事：『有一天，這些過江南來的人士，在新亭野宴，有一個周顗，瞭望金陵四周景色，嘆息道：這裏的風景跟洛陽一樣，可是山河到底不同。衆人聽了，都不覺流淚①。』風景跟洛陽一樣，是指地理形勢；

---

①《世說新語》原文：『周侯中坐而嘆曰：「風景不殊，正自有山河之異。」皆相視流淚。』

山河不同，這個『山河』，便是指統治區域了。

許渾詩隱隱用了這個典故『惟有青山似洛中』也還是『風景不殊』的意思。當年從洛陽遷都到金陵，覺得金陵很像洛陽。現在金陵的六代豪華都已消滅，而自然風景依然和洛陽一樣。這一句詩的作用，是呼應歷史。從陳後主的亡國起興，第二聯立即提及六代宮，表示這首詩並不專指陳朝。最後以東晉建都時士大夫流亡到金陵時的感想作結束。如果許渾作此詩時，沒有聯想到《世說新語》中這個著名的『新亭涕淚』的故事。我想他必不會寫出這樣一個結句。前輩講詩諸公，也沒有聯想到這個故事，因此，講這句詩就都是很勉強。現在我揭出了這句詩的眞正典故，就幫助《唐詩選》的編者解釋許渾這句詩，是因爲這兩個地方能引起同樣的感慨。

許渾詩在後世的評價，差距很遠，亦可見歷代文人對詩的好惡不同。孫光憲是唐末五代詩人，是許渾的下一輩，他曾說：『世謂許渾詩，李遠賦，不如不做，言其無才藻，鄙其無教化也。』這幾乎是許渾同時代的評論，已把他的詩評價很低了。宋代詩人劉後村說：『杜牧、許渾同時，然各爲體。牧於律中常寓少拗峭，以矯時弊；渾詩圓穩律切，麗密或過杜牧，而抑揚頓挫不及也。』（《後村詩話》）而陳後山卻說：『後世無高學，舉俗愛許渾。』（《次韻蘇公西湖觀月聽琴》）可知在宋代，對許渾的褒貶亦已不同。宋末元初，方虛谷編選《瀛奎律髓》，評許渾詩云：『許詩工有餘而味不足，如人形有餘而韻不足，詩豈專在聲病對偶而已。』又云：『渾句聯多重用，其詩似才得一句便拿捉一句爲聯者，所以無自然眞味。』這一評語，是論他聯句多重複，詩沒有韻味，但也肯定了他的工，就是劉後村所謂『圓穩律切』。元代楊仲弘選《唐音》，明初高棅選《唐詩品彙》，都選錄不少許渾的詩。《品彙》選許渾七律十七首，與李商隱十二首，劉滄十九首同列入『正變』卷，論曰：『元和後律體屢變，其間有卓然成家者，皆自鳴所長。若李商隱之長於詠史，許渾、劉滄之長於懷古，此其著者也。……三子者，雖不足以鳴乎大雅之音，亦變風之得其正者矣。』

但是楊愼卻對許渾的詩極其鄙薄。他說：『唐詩至許渾，淺陋極矣，而俗喜傳之，至今不廢。高棅編《唐詩品彙》，取至百餘首，甚矣，棅之無目也。棅不足言，而楊仲弘選《唐音》，自謂詳於盛唐而略於晚唐，不知渾乃晚唐之尤下者，而取之極多，仲弘之賞鑑，亦羊質而虎皮乎。』（《升庵詩話》卷九）這是宋代以來對許渾詩的最低評價。但沈德潛選《唐詩別裁》還選入了許渾的五、七言律詩十二首，可知楊升庵的評品沒有使人悅服。

一九八五年三月二十八日

84 鄭鷓鴣詩

鄭谷，字守愚，袁州宜春（今江西宜春）人。應進士試十六年，至光啓三年（公元八八七）方才及第。授官京兆鄠縣尉，遷右拾遺、補闕。乾寧四年（公元八九七年）爲都官郎中。這是他最後一任官職，詩家稱之爲鄭都官。不久就告老歸隱而卒。估計他的文學、政治活動時期在唐懿宗咸通至昭宗乾寧、光化年間，大約有三十年光景，他的第一詩集名《雲臺編》三卷。是隨從昭宗避難華州，住在雲臺道院時所編。歸隱之後，又編成《宜陽集》三卷。但現在他的詩集已統稱《雲臺編》。

鄭谷是晚唐一位重要詩人。在他的時代，是詩壇領袖。他和許棠、任濤、張蠙、李栖遠、張喬、喻坦之、周繇、溫憲、李昌符是同時人，當時合稱『芳林十哲』，後世稱『咸通十哲』，與『大曆十才子』先後輝映。溫憲是溫庭筠的兒子。

鄭谷詩早年受知於李朋、馬戴、司空圖、薛能、李頻。作詩千餘首，《雲臺編》所收僅三百首。《唐才子傳》稱其詩『清婉明白，不俚而切』。這一評語，其實偏低了。『不俚』是作詩的起碼要求，『清婉明白』也止是初學作詩者的基本標準。一個著名詩人，必然已能超過這兩個標準。鄭谷詩致力於五、七言律詩，寫景叙情，善於貼切；屬對鍊句，亦極工致，但氣分風骨，終不及大曆諸家。他以《鷓鴣》詩著名，當時人稱他爲鄭鷓鴣。我們現在就讀一讀他的這篇代表作：

鷓鴣

暖戲平蕪錦翼齊，品流應得近山雞。
雨昏青草湖邊過，花落黃陵廟裏啼。
遊子乍聞征袖濕，佳人才唱翠眉低。
相呼相喚湘江浦，苦竹叢深春日西。

此詩前解四句是描寫鷓鴣在春暖之日，嬉戲於平原上，錦翼整齊。它的身分應當可以比之爲山雞。這句詩我可不懂，爲什麼把鷓鴣比之爲山雞？難道山雞的流品高嗎？下二句寫洞庭湘水邊的鷓鴣，下雨天在青草湖邊飛過，花落時在黃陵廟裏啼喚。後解四句是描寫行人聽到鷓鴣啼聲。第七、八句應當和五、六句倒過來講。在幽深的苦竹林中，夕陽西下時，這些鷓鴣在湘江沿岸相呼相喚。使旅遊人聽了，感動得掉淚。因爲鷓鴣的啼聲好像是在催人『不如歸去』。唐代歌曲中有摹仿鷓鴣啼聲的曲子，名爲『鷓鴣詞』，這裏說『佳人才唱』，就是說歌女聞鷓鴣啼聲而唱起鷓鴣詞來，也有所感動而低眉發愁。

這首詩完全是詠物詩，八句全是賦體，不過描寫鷓鴣而已。『雨昏花落』一聯很好，但用來詠杜鵑也未嘗不可。在鄭谷的詩集中，這首詩並不是最好的，更不能僅以此詩爲他的代表作。但一時有『鄭鷓鴣』之名，倒反而把他的好詩埋沒了。

不過，對於此詩的理解，也有極爲矛盾的評論。朱東岩在《唐詩鼓吹》中說這首詩『純用比、用興，故佳』。而金聖嘆在《選批唐才子詩》中卻說：

詠物詩，純用興最好，純用比亦最好，獨有純用賦卻不好。何則？詩之爲言，思也。其出也，必於人之思，其入也，必於人之思。以其出入於人之思，夫是故謂之詩焉。若使不比不興而徒賦一物，則是畫工金碧屏障，人其何故睹之而忽悲忽喜？夫特地作詩，而人乃不悲不喜，然則不如無作。此皆不比不興，純用賦體之過也。相傳鄭都官當時實以此詩得名，豈非以其『雨昏』、『花落』之兩句？然此猶是賦也。我則獨愛其『苦竹叢深春日西』之七字，深得比興之遺也。

讀聖嘆這一段評論，可知聖嘆也以爲此詩病在全用賦體。使讀者無所感動。但是他又以爲最後一句詩『深得比興之遺』，這就全部推翻了他自己的上文。原來此詩又並非『純用賦』體，最後一句，還是有比興的。可是，我實在無法把這句詩講出比興的意義來。比的是什麼？從何處興起？聖嘆在講解下半首詩時說：『此七與八，乃是另寫一人，聞之而身心登時茫然。然後悟詠物詩中多半是詠人之句，如之何後賢乃更純作賦體。』這一段評論，眞使人讀之『身心登時茫然』。他說此詩結句是寫另外一個人在聽鷓鴣啼，並不是在青草湖邊、黃陵廟裏聽的人。又說此詩雖然是詠物詩，卻多半是在詠人。因此還不算『純用賦』，不過後世詩人卻有純用賦的了。聖嘆一開始就指出此詩純用賦體，本來不錯，不知怎麼一回事，他又肯定了結尾二句有比興意義。於是要從自己的矛盾中解脫，發現了詠物詩中多半是詠人，而詠人就是『比興之遺』。這裏，我們止能說是反映了金聖嘆的思想混亂到連自己也莫知適從。至於朱東岩說此詩好在『純用比，用興』。他既沒有指出比興的意義在那裏，我們更是無法索解。

鄭谷還有一首鷓鴣詩，倒是比出名的前一首好得多：

侯家鷓鴣

江天梅雨濕江蘺，到處煙香是此時。
苦竹嶺無歸去日，海棠花落舊棲枝。
春宵思極蘭燈暗，曉月啼多錦幕垂。
惟有佳人憶南國，殷勤爲爾唱愁詞。

侯家歌妓能唱鷓鴣詞，鄭谷在筵席上聽了，即作一詩，題目就稱《侯家鷓鴣》。這樣的詩題，在中、晚唐詩中常見，例如張祜集中就有《董家笛》、《丘家箏》、《李家柘枝》等十多首。

此詩是把歌妓唱的鷓鴣比之爲被捕在籠中的鷓鴣。第一聯寫時節，正是江天梅雨淋濕花草的時候。江蘺是花名。第二聯說被拘囚的鷓鴣無法再回到苦竹嶺老家去，從前棲宿過的海棠樹也都已花落春殘了。第三聯寫春宵燈暗的時候，鷓鴣懷鄉之情，在曉月當空的時候，深閉在錦幕中的鷓鴣不停地悲鳴。第四聯說，惟有這位歌妓也懷念南方，代你唱出了懷鄉的愁緒。這一聯點明題目，用在結尾，藝術手法極巧。第七句更好。既把鷓鴣比爲失去自由的羈旅之人，又把歌女比爲失去自由的鷓鴣。『惟有佳人憶南國』是說歌女懷念南方家鄉。『殷勤爲爾唱愁詞』是說歌女唱鷓鴣詞，既是唱出了自己的鄉愁，也是代你唱出了鄉愁。這首詩的藝術手法，是用雙重比興，比中有比，豈不是寫得比前一首高明得多？我以爲『鄭鷓鴣』的代表作應該是這首詩。

鄭谷還有一首著名的詩：

雪中偶題

亂飄僧舍茶煙濕，密灑歌樓酒力微。
江上晚來堪畫處，漁人披得一蓑歸。

這首詩在當時已廣爲流傳，有一個姓段的贊善（官名）曾根據詩意畫了一幅雪景。鄭谷作了一首謝詩，題云：『予嘗有雪景一絕，爲人所諷吟。段贊善小筆精微，忽爲圖畫，以詩謝之。』這首詩的結句云：『愛予風雪句，幽絕寫漁蓑。』由此可知，畫的是披蓑衣的漁翁在大雪中晚歸的景象。在宋元人的話本小說中，每逢講到下雪天，這首詩常常被引用來作『有詩爲證』的唱詞。

此外，鄭谷詩集中有好幾首拗體詩，也値得注意：

石城

石城昔爲莫愁鄉，莫愁魂散石城荒。
江人依舊棹舴艋，江岸還飛雙鴛鴦。
帆去帆來風浩渺，花開花落春悲涼。
煙濃草遠望不盡，千古漢陽閒夕陽。

倦客

十年五年歧路中，千里萬里西復東。
匹馬愁衝曉村雪，孤舟悶阻春江風。
達士由來知道在，昔賢何必哭途窮。
聞烹蘆筍炊菰米，會向漁鄉作醉翁。

這裏選取二首爲例。這二首詩的上半首平仄都不黏綴，一句之中不協，上句與下句之間不協，讀來就感到聲調急促。無抑揚搖曳的律詩特徵。這種詩稱爲拗體詩，又名爲『吳體』詩。我們已講過杜甫的兩首吳體詩（見第四十篇），現在可以參看。吳越方言與歌唱，在東晉時第一次爲中原士大夫所接受，過江名士，多喜學吳語。樂府歌曲中也出現了吳聲曲辭。從隋到盛唐，南方土音，又爲中原士大夫所鄙棄。安史亂後，中原人士多流寓江南，於是漸漸有人愛聽吳音。顧況、白居易等人的詩中，常見有吳吟、吳音、越調等語詞。張祜詩有『更學吳音誦梵經』之句，可知僧尼也學吳音念佛經了。吳體詩本是吳越間人誦詩的調子，如果依調配字，就成爲一種新體的律詩。從此以後，七律中有了這樣一種格式，宋元以降，一直有人仿作。

《瀛奎律髓》有『拗字』一類，選了杜甫以下唐宋五、七言拗體詩二十八首。現在抄錄一首黃庭堅的詩，比較吟誦，可知江西詩派硬句的淵源：

題落星寺

星宮遊空何時落，著地亦化爲寶坊。
詩人晝吟山入座，辭客夜愕江撼床。
蜂房各自開户牖，蟻穴或夢封侯王。
不知青雲梯幾級，更借瘦藤尋上方。

一九八五年四月二日

85 曹唐：遊仙詩

曹唐的事跡，《唐才子傳》敘述較詳。傳云：『唐，字堯賓，桂州人。初爲道士，工文賦。大中間舉進士，咸通中爲諸府從事。唐與羅隱同時，才情不異。唐始起淸流，志趣淡然，有淩雲之骨。追慕古仙子高情，往往奇遇，而己才思不減，遂作大遊仙詩五十篇，又小遊仙詩等，紀其悲歡離合之要，大播於時。』此外，《唐詩紀事》云：『初爲道士，後爲使府從事，咸通中卒。作遊仙詩百餘篇。』又，《全唐詩》云：『初爲道士，後舉進士，不第。咸通中累爲使府從事。』三段小傳，其不同處止在曹唐有沒有進士及第。唐宣宗大中共十四年，懿宗咸通共十五年。曹唐在咸通年中曾在幾個節度使幕府中做事，與『咸通中卒』也並不矛盾。看來他早年是一個能文工詩的道士，後來做了許多遊仙詩，大出其名，就被某些節度使錄用。他沒有舉進士，在節度使幕中，恐怕地位很低，不是判官、記室之類。他的詩集中也看不出有與達官貴人交契的跡象。《唐才子傳》還記錄了他與羅隱互相嘲謔的故事，可是在二人的詩集中都沒有互相唱和投贈的詩篇，可知他們的交情不深。由此看來，大概曹唐止是依靠他的遊仙詩而垂名於後世。

曹唐詩未聞有單刻本。《全唐詩》收曹唐詩二卷，主要是大、小遊仙詩。大遊仙詩是七言律詩，集中僅存十七首，與《唐才子傳》所言五十篇不合，顯然已遺失了三十三首。小遊仙詩九十八首，加上《唐詩紀事》中引用的一首，共存九十九首。大約原來是一百首，僅遺失一首。

遊仙詩是很早就有的。昭明太子蕭統編《文選》，把詩分爲二十類，其第九類就是遊仙。他選了晉代詩人何劭的一首，郭璞的七首，都是五言詩。大約遊仙詩這個名目就起於晉代。當時道家思想成爲時尚，文人都愛好讀道家書籍。修心養性，煉丹服藥，希望延年益壽，甚至飛升成仙。這種思想表現在文學中，就成爲一種新的內容，遊仙這個名詞就標誌著這一種內容。唐人李善注《文選》，給郭璞的遊仙詩做了評注：

> 凡遊仙之篇，皆所以滓穢塵網，錙銖纓紱，飡霞倒景，餌玉玄都。而璞之制，文多自敘，雖志狹中區，而辭無俗累，見非前識，良有以哉。

前四句說遊仙詩的內容應當是描寫厭棄人間、鄙視仕宦、到洞府仙山中去服藥修煉的事情。後四句是評郭璞的遊仙詩，說他自敘太多，文辭雖然不俗，詩意卻太狹窄。最後二句說：郭璞的遊仙詩已有前輩批評過，很有道理。

所謂『前識』（前輩學者），指的是鍾嶸。鍾嶸在《詩品》中論郭璞云：

> 憲章潘岳，文體相輝，彪炳可玩。始變永嘉平淡之體，故稱中興第一。《翰林》以爲詩首。但《遊仙》之作，詞多慷慨，乖遠玄宗。其云『奈何虎豹姿』，又云『戢翼棲榛梗』，乃是坎壈詠

懷，非列仙之趣也。

他把郭璞的詩，比之於潘岳。郭璞是東晉初期的人，他的詩已改變了西晉平淡之風，所以爲晉室中興時期第一詩人。李充作《翰林論》，也把郭璞列於詩人之首。以上一段是他肯定郭璞的詩格。接下去就專評郭璞的《遊仙》詩。他以爲這些詩詞氣激昂慷慨，與道家沖虛玄妙的氣質距離太遠。又舉郭璞的兩句詩爲例，認爲這些詩的內容止是在發洩其坎壈不得志的感情，像阮籍的《詠懷》詩，而一點沒有仙趣。

以上是遊仙詩起源的情況。道家思想不時行以後，通行了山水詩。再後，又通行了穠艷的宮體詩。從此沒有人再作遊仙詩了。

到了唐代，『仙』字產生了新的意義。唐代文人常把美麗的女人稱之爲仙女、仙人。因此，又把狎妓稱爲遊仙。武則天時代，有一個文人張鷟寫了一部小說《遊仙窟》，就是記述他和一些妓女情愛的故事。小說中有許多五言詩，也就是一種新型式的遊仙詩了。曹唐的《遊仙》詩，便是從《遊仙窟》發展而成。

大遊仙詩今存十七首，似乎是插入在許多仙女故事中的詩篇。現在把十七個詩題抄錄於此：

㈠漢武帝將候西王母下降。

㈡漢武帝於宮中宴西王母。

㈢劉晨阮肇遊天台。

㈣劉阮洞中遇仙子。
㈤仙子涘劉阮出洞。
㈥仙子洞中有懷劉阮。
㈦劉阮再到天台不復見仙子。
㈧織女懷牽牛。
㈨王遠宴麻姑蔡經宅。
㈩蕚綠華將歸九疑留別許眞人。
⑾穆王宴王母於九光流霞館。
⑿紫河張休眞。
⒀張碩重杜蘭香。
⒁玉女杜蘭香下嫁於張碩。
⒂簫史攜弄玉上升。
⒃皇初平將入金華山。
⒄漢武帝思李夫人。

這裏一共有十一個故事。漢武帝見西王母的故事（一、二），劉晨、阮肇入天台山的故事（三至七），牛郎織女的故事（八），麻姑的故事（九），蕚綠華的故事（十），穆天子見西王母的故事（十一）張休眞的故事（十二），杜蘭香的故事（十三、十四），秦女弄玉和簫史的故事（十五），皇初平的故事（十六），漢武帝和李夫人的故事（十七）。除張休眞以外，其餘都是從士大夫到一般市民都熟悉的神仙故事。我懷疑曹唐這些詩都是當時說唱故事的人用作插曲的，正和《李娃傳》之有《李娃歌》、《馮燕傳》之有《馮燕歌》一樣。曹唐爲每一回故事配一首歌詞，後人收集起來爲他編詩集，止有寫劉晨、阮肇入天台山遇仙女的詩至今還保存五首之多，其餘的故事止存詩一二首。如果一個故事配一首歌是最早的說唱文學形式，那麼一個故事配許多歌便是已經發展了的說唱文學形式。從曹唐這些詩題中，我們分明可以看得出，詩是與故事的發展配合的。講一段故事，唱一首詩（歌），已經完全是今天評彈的形式了。

到了宋朝，新興了詞這種文學形式。於是說唱文學中不再用詩爲唱詞，而改用詞了。趙德麟的十二首《商調蝶戀花》鼓子詞分段歌唱張生和崔鶯鶯的故事，就是當時鼓娘們的唱本。再後一些，到了金代，出現了董解元《西廂記》諸宮調，又是金代說唱張生鶯鶯故事的唱本了。

到此爲止，我講清楚了關於曹唐大遊仙詩的兩個問題：第一，遊仙詩的起源與發展。第二，從它們的題目形式推測這些詩的作用。我以爲是唐代評彈家的唱詞。

小遊仙詩今存九十九首，都沒有題目，也不是賦詠某一故事。內容是寫仙女的生活或思想感情，有些詩很近似閨情或宮詞。這是以一百首詩爲一組的雜詠體詩，錢珝有《江行無題》一百首，都是五言絕句，寫江船旅遊的風物。王建有《宮詞》一百首，都是七言絕句，寫宮闈雜事。羅虬有《比紅兒》詩一百首，都是七言絶句，寫他所悼念的妓女紅兒。胡曾有《詠史》一百首，也都是七言絶句，詠歷史人物。這一類詩，通稱爲『百詠詩』，也興起於唐代。

現在我們欣賞一下大遊仙詩中的五首劉晨、阮肇入天台遇仙女的故事詩，可能它們已概括了整個故事。

劉晨阮肇遊天台

樹入天台石路新，雲和草靜迥無塵。
煙霞不省生前事，水木空疑夢後身。
往往雞鳴巖下月，時時犬吠洞中春。
不知此地歸何處，須就桃源問主人。

前六句是叙述劉、阮二人步入天台深處，一路所見景物。末二句是唱詞結束，轉入說話的暗示。廖文炳在《唐詩鼓吹》中解釋云：『此言隨樹而入天台，蹤跡罕至，石路如新。而其中雲氣和煦，草色幽靜，絶無塵俗之染矣。到此煙霞之中，不記生前之事，但見水木清深，疑是夢後之身。五、六二句，言洞中所聞，乃仙家雞犬。吾至此地，不可無主人以托宿焉，所以欲就桃源而問之也。』

這樣已通講了全詩，可以無須再釋。以後各詩，打算仍是抄錄廖文炳的講解，供讀者學習古人串講詩篇的方法。不過這裏要補充說明二點：一、古人用『洞』字，意義和現在不同。像這首詩中所謂『洞中』，並不是指山的巖穴，而是指四山環繞的一片平地，就是西南各省所謂『壩子』。道家所謂『洞天福地』，就是與世隔絕的一塊山中平原。二、少數民族所住的深山中的壩子，也稱爲『洞』，或寫作『峒』。因此，『犬吠洞中』不可理解爲狗在山洞裏吠叫。

劉阮洞中遇仙子

天和樹色靄蒼蒼，霞重嵐深路渺茫。
雲竇滿山無鳥雀，水聲沿澗有笙簧。
碧沙洞裏乾坤別，紅樹枝邊日月長。
願得花間有人出，免令仙犬吠劉郎。

此詩前六句描寫劉、阮一路行去所見風景。遇到許多桃樹，採桃食之，頓時覺得身輕腳健。此時忽然有狗出來向他們狂吠，於是希望有人出來喝止這條狗。

廖文炳解釋云：『此言來至天台，天氣和而樹色蒼然，嵐深霞重，其途又渺茫而極遠焉。且雲滿於山，寂無鳥雀；水流於澗，若奏笙簧。其沙則粼粼皺碧；其樹則灼灼殷紅。是蓋別有一乾坤，故日月之長，又異於人間之歲月也。不意仙家之犬，亦解迎人而吠。所願花間有人，庶幾免此，許我尋洞中之勝也。』

仙子送劉阮出洞

殷勤相送出天台，仙境那能卻再來。
雲液既歸須強飲，玉書無事莫頻開。
花當洞口應長在，水到人間定不回。
惆悵溪頭從此別，碧山明月照蒼苔。

此詩之前，大概還應當有一二首詩，詠唱劉、阮會晤仙女，仙女請他們吃胡麻飯的事。現在此詩已詠唱到仙女送別，顯然是故事缺少了一大段。

廖文炳解釋云：『此詩設爲仙子之意以送之也。言殷勤相送，出山一別，豈得再來此仙境。君既歸後，仙家之酒，須當強飲以消愁思，洞裏之書，不可頻開，以褻汙仙傳。自此而思仙凡之事，亦相去懸殊矣。花開洞口，固無時而不在；水到人間，當無復有回時。今與二人溪邊悵別，空對碧山明月，照映蒼苔而已。』

這裏要補充講的是：㈠『雲液』是仙女贈劉、阮的酒名。她們勸劉、阮多飲仙酒，可以延年益壽。『強』，是勉強，不會飲酒也應當勉強飲幾杯。㈡『玉書』是道家的書籍。內容大約是養生的藥方或解災辟邪的法術。故仙女勸他們在必要的時候才翻開來看。否則，如果經常翻閱，就會損壞了仙書。

仙子洞中有懷劉阮

不將清瑟理霓裳，塵夢那知鶴夢長。
洞裏有天春寂寂，人間無路月茫茫。
玉沙瑤草連溪碧，流水桃花滿澗香。
曉露風燈易零落，此生無處訪劉郎。

廖文炳解釋云：『首言自別劉、阮之後，懶將瑤瑟理霓裳之曲，想劉、阮已歸塵世，其夢當不及仙夢之長也。綜彼此而言之，我居洞裏，別有一天，而春光寂寂；君在人間，相尋無路，而月色茫茫。塵夢、鶴夢，其相去爲何如哉？五、六句言仙家景物常在，而不得與劉、阮相賞，今劉、阮一去，儼若曉露風燈，易於零落，悠悠仙夢，乃與塵寰相隔，正未知此生何處可訪問劉郎耳。』

劉阮再到天台不復見諸仙子

再到天台訪玉眞，青苔白石已成塵。

笙歌寂寞閒深洞，雲鶴蕭條絕舊鄰。
草樹總非前度色，煙霞不似往年春。
桃花流水依然在，不見當時勸酒人。

廖文炳解釋云：『此言苔石成塵，玉眞之不見可知，尙有何於雲鶴笙歌哉。蓋當時草樹煙霞，非不在望，而較之前度之色，往年之春，已異矣。雖桃花流水，依依不改，如不見勸酒之人何？』故事大約到此講完，這是最後一首唱詞了。劉晨、阮肇的故事見於《幽明錄》，止說劉、阮回到家中，所見的已是七世孫了。曹唐詩所表現的卻是仙女思念劉、阮，劉、阮再入山訪覓，不見仙女。這是當時說書先生增添的部分，很像崔護桃花的故事，從神話變爲傳奇了。

小遊仙詩也選錄四首，以見一斑，不用解說了。

芝草芸花爛漫春，瑞香煙露濕衣巾。
玉童私地夸書札，偷寫雲謠暗贈人。

昨夜相邀宴杏壇，等閒乘醉走青鸞。
紅雲塞路東風緊，吹破芙蓉碧玉冠。

笑擘雲液紫瑤觥，共請雲和碧玉笙。
花下偶然吹一曲，人間因識董雙成。
暫隨鳧伯縱閒遊，飲鹿因過翠水頭。
宮殿寂寥人不見，藕花菱角滿潭秋①。

一九八五年四月五日

①「藕花」原作「碧花」。「碧」字與上句「翠」字重複，實在不佳。今改作「藕花」，好得多。我講解唐詩而擅自改字，未免唐突。但想借此一例，與讀者研究詩的用字法，也可以算作一次實驗。

86 章碣：詩三首

章碣，錢塘（今浙江杭州）人，不知其字，詩人章孝標之子。章孝標應進士試考了十年，至元和十四年（公元八一九年）方才及第。及第後，回家嘉慶①，先以詩寄家鄉友人，詩云：

及第全勝十政官，金湯鍍了出長安。
馬頭漸入揚州郭，爲報時人洗眼看。

——《及第後寄廣陵故人》

詩意說進士及第比任官更爲榮耀，我現在好比鍍了金，出京回家省親。旅程已經快要到揚州，故寄此詩報告朋友們，請大家洗淨眼睛，改變對我的看法。以考上進士爲鍍金，是唐人俗語。『金湯』即『金液』。今人以出國留學或獲得某種高一級的資格，稱爲『鍍金』，語源即出於此。

章孝標這首詩反映了唐代知識分子對進士及第的重視，同時也反映了章孝標這個人的氣度狹小。

---

①唐人以進士及第後回家省親，謂之『嘉慶』。又稱『拜家慶』。

當時有詩人李紳就寫了一首《答章孝標》的譏諷詩：

假金方用眞金鍍，若是眞金不鍍金。
十載長安方一第，何須空腹用高心。

章孝標讀了此詩，大爲羞慚，但因此而終於不成大器，官位止於秘書省正字。兒子章碣，也是屢試不及第。咸通末年（公元八七四年），頗有詩名，滿心以爲可以成名了。乾符中，高湘知貢舉，章碣去應試。誰知高湘從長沙帶了他的得意門生邵安石來，錄取了安石而不取章碣。章碣怨恨之餘，寫了一首使他幸而能夠傳名於後世的七絕：

東都望幸

懶修珠翠望高臺，眉月連娟恨不開。
縱使東巡也無益，君王自領美人來。

這首詩以宮怨寄興。唐代選舉制度，有時也在東都洛陽設置考場，不過不是常例。章碣大約在洛陽應試，故比之爲東都望幸。第一句說：宮中美人懶得妝飾。第二句說：因爲心有怨恨，眉毛蹙緊不開。『眉月』即月牙形的眉毛。第三句說：即使到東都去也沒有好處。第四句說：誰知君王自己帶領了美人來，不會寵幸宮中的美人。此詩對高湘的諷刺極妙。《唐詩品彙》止選了他兩首七絕，這首之外，另一首是《焚書坑》。

焚書坑

竹帛煙銷帝業虛，關河空鎖祖龍居。
坑灰未冷山東亂，劉項從來不讀書。

秦始皇帝爲了箝制知識分子的思想，以鞏固其獨裁政權，收繳天下儒家書籍，統統燒掉。又把政治上的異己分子，主要是儒士，活埋了四百六十多人。這就是歷史上所謂『焚書坑儒』。也可以說是世界史上第一次『文化大革命』。據《史記·始皇本紀》的記載，焚書是在始皇三十四年。當時，秦始皇下令史官，把秦國以外各國的歷史書都燒掉。除了博士們所用的公家藏書以外，民間所藏『詩書百家』書籍，都要在命令到達後三十天內上繳給本郡郡守或郡尉，即在當地焚燒淨盡。燒書以後，人民中如有私相談論詩書的，處以死刑。『以古非今』，反對現政權者，殺其家族。官吏知而不揭發者，同罪。醫藥、占卜、種樹的書，不必焚燒。

坑儒是在三十五年。當時在首都咸陽的儒生還有不滿言論，始皇下令審問，定罪名爲『爲妖言以亂黔首』。審問之時，諸生互相檢舉揭發，最後把判定爲犯禁的儒生四百六十多人，坑於咸陽。

由此可知，書是分散在各地焚燒的，坑儒止在咸陽。不知什麼時候，有人把『焚書坑』三字連讀，於是在臨潼驪山下僞造了一處古跡：秦始皇焚書坑。章碣這首詩，是賦詠名勝古跡，也是懷古詩。詩意說：燒書（竹帛）的煙火銷滅之後不久，秦始皇的事業就空虛了，因爲始皇崩於三十七年七月。『祖龍』是當時人民稱始皇的隱語，『祖』就是『始』，『龍』象徵皇帝。始皇生前，用種種方法，固守他的關河。現在，他所居之處，固守也徒然了。故詩云：『關河空鎖祖龍居。』始皇焚書坑儒，也是爲了鎖住他的關河，惟恐讀書人起來造反。豈知坑中的竹帛灰還沒有冷卻，關外已經有劉邦、項羽舉兵造反了。而劉邦、項羽都不是讀書的知識分子。

章碣此詩，立意很新，對仇視知識分子的秦始皇，諷刺也很尖銳。但這首詩的主題思想，卻是說出了一個眞理：革命的動力不在知識分子。知識分子能運用他的知識，評論政治，是非、善惡、臧否，都可以憑他的知識論定，但對於施行仁政的統治者，他只能起錦上添花的作用；對於施行苛政的統治者，他沒有把他拉下來的能力。我國歷史上聰明的統治者，對於『處士橫議』，都不十分重視。秦始皇過高地估計了知識分子的作用，幹出了焚書坑儒的蠢事，無補於他的『帝業』。倒是中國老百姓，尤其是被壓迫的農民，知道他們自己的力量。所以他們會譏笑知識分子：『秀才造反，三年不成大事。』

同時人羅隱也有一首《焚書坑》詩云：

千載遺蹤一窖塵，路旁耕者亦傷神。
祖龍算事渾乖角，將謂詩書活得人。

此詩三、四句大意說秦始皇計算錯誤，以爲詩書眞能救活被壓迫的人民，這一層意思，卻可謂『先得我心』了。

在『十年浩劫』期間，這首詩曾風行過一時。但是止截取了最後一句，作爲革命不需要知識分子的理論依據，也就成爲『橫掃一切牛鬼蛇神』的充分理由，結果是與秦始皇殊途而同歸。這是詩人章碣所想像不到的。

章碣此詩，以爲秦始皇是在驪山下掘一個大坑，用以焚書的。所謂『坑灰』，是指竹帛（書）的灰燼。這就與事實不符。坑是掘來用以活埋儒生的。宋初提倡西崑體的楊億有一首詠秦始皇的詩（《始皇》三首之一），其結句云：

儒坑未冷驪山火，三月青煙繞翠岑。

這兩句的詩意完全抄襲章碣，不過他改用項羽入關，焚燒阿房宮，火三月不熄的故事。方虛谷把此詩選入《瀛奎律髓》，評論道：『第七句最佳，作詩之法也。坑儒未幾，驪山已火。以一火字貫上意。』這樣一講，反映出作者與評者，都是糊塗蟲。作者知道這是儒坑，不是焚書坑，但是他偷了章碣詩句，改了一個字，說是『儒坑未冷』。四百六十多個儒生是被活埋掉的，不是燒死的。坑既沒有被火燒熱，怎麼說是『未冷』呢？這一句詩簡直是事理不通，而方虛谷卻以爲此句『最佳』，並且用來教人以『作詩之法』，豈不可笑？方虛谷說此二句以一『火』字貫串，而沒有想到儒坑中本來沒有火。現在我給作者改一句爲『焚書未燼驪山火』，這才是『以火字貫上意』了。

章碣的詩，現在僅存二十六首於《全唐詩》中，七律爲多，未見佳作。方干有《贈進士章碣》詩，首二句云：『織錦雖云用舊機，抽梭起樣更新奇。』這是說他作詩雖用舊形式，卻能有新意。結句云：『此時才子吟應苦，吟苦鬼神知不知。』可知章碣也像孟郊、賈島一樣是個苦吟詩人。止是才分不高，即使吟苦，也未能有足以使『鬼神驚』的佳句。

羅隱也有一首詩《送章碣赴舉》，其頷聯云：『久經離亂心應破，乍睹昇平眼漸開。』似乎是在黃巢兵敗之後才入京應舉。但《唐詩紀事》說他是『登乾符進士』，乾符止有六年，正是王仙芝、黃巢舉兵之時。章碣旣未在高湘榜下及第，或者在此後一二年內終於成了進士，但又與羅隱詩意不合。此後他的傳記是『流落不知所終』，恐怕也是戰事的影響。

章碣還有一首詩值得注意：

東南路盡吳江畔，正是窮愁暮雨天。
鷗鷺不嫌斜雨岸，波濤欺得逆風船。
偶逢島寺停帆看，深羨漁翁下釣眠。
今古若論英達算，鴟夷高興固無邊。

這首詩沒有題目，止題作『變體詩』。律詩第一、三、五、七句向來不用韻，此詩卻押了『畔』、

『岸』、『看』、『算』四個仄聲韻，這是他創造的變體律詩。顧況作『吳體』詩，溫庭筠作『雙聲』詩，李商隱作『當句對』詩，和章碣這首『變體』詩，都反映著中唐以後，有人在律詩的形式方面，試探於創新，但是都沒有成功。

一九八五年四月九日

87 李群玉：黃陵廟詩

李群玉是晚唐詩人中有特點的一個。字文山，湖南澧州（今澧縣）人。《唐才子傳》稱他『清才曠逸，不樂仕進。專以吟詠自適。詩筆遒麗，文體豐妍。好吹笙，美翰墨，如王謝子弟，別有一種風流。』又說親友敦促他入京應進士試，落第之後，就不再去。裴休爲湖南觀察使，厚禮聘請他佐理郡中事務。曾勸勉他說：『處士被褐懷玉，浮雲富貴。名高而身不知。神寶寧久棄荒途，子其行矣。』這大約是裴休罷任的時候，勸他入京求仕的話。大中八年（公元八五四年），裴休爲宰相執政，使李群玉進呈詩三百篇，同時爲他上表舉薦，因而得授宏文館校書郎。但他還是不樂爲官，不久即告假回家，二年後逝世。《唐詩紀事》說：『群玉好吹笙，善急就章，喜食鵝。及授校書郎東歸，盧肇贈詩云：「妙吹應諧鳳，工書定得鵝。」』他的詩今存三卷，五言爲多，頗有清新古雅之作。生平事跡，大概如此。《唐才子傳》有一段評論云：『夫澧浦古騷人之國。屈平仕遭譖毀，不知所訴，心煩意亂，賦爲《離騷》。騷，愁也。「已矣哉，國無人莫我知兮，又何懷乎故都？」委身魚腹，魂招兮不來。芳草萎爾，蕭艾參天，奚獨一時而然也。群玉繼稟修能，翺翔大化，人不知而不恤，祿不及而不言。望涔陽之無極，挹杜蘭之緒馨。款君門以披懷，霑一命而潛退。風景滿目，寧無愧於古人。故其格調清越，而多登山臨水、懷人送歸之製。如「遠客坐長夜，雨聲孤寺秋」、「請量東海水，看取淺深愁」等句，已曲盡羈旅坎壈之情。壯心千里，於方寸不擾，亦大難矣。』這一段文字，前段以李群玉比之爲屈平，中段叙說李群玉的品德，後段評其詩格。我以爲李群玉與屈平不同，他並非因不見用於朝廷而感到窮愁，也沒有像屈平那樣的叫蒼天，叩帝閽。他根本是心甘淡泊，敝屣榮名的人，恐怕止能比之爲陶淵明一流。不過評論中說他曾『款君門以披懷』，方干《經李群玉故居》詩中也說他：『訐直上書難遇主，銜冤下世未成翁。』似乎李群玉曾向朝廷上書論政而未被採錄，但現有的資料中卻沒有記載。儘管李群玉的傳記資料不詳，但已可知他的人品是高潔的。可是近來有一個唐詩選本卻說：『李群玉的詩內容不豐富，不脫山人、門客的題材，既歌詠閒適，又干求權貴。』這一評論眞不知根據什麼史料。李群玉生平止有裴休一個知己。裴休這樣提挈他，他還是很恬淡。做一下校書郎，還是爲了裴休的恩遇，此後便及早告退，並不想高升。他的詩集中根本沒有一首干求權貴的詩。甚至在《蒙恩授官，言懷紀事》這首詩中，也沒有感激涕零的表現。這段評論，很像是三十年代批判晚明小品文作家的，現在抄來評論李群玉，眞是牛頭不對馬嘴了。

湖南湘陰洞庭湖邊有一座黃陵廟，是祭祀帝堯的兩個女兒的。據古代傳說，帝堯二女，一名娥皇，一名女英，都嫁給帝舜。舜到南方去巡狩，娥皇、女英也隨從同去。到了湘陰，二女留駐。舜帝獨自南行，行到現在的湖南、廣西交界處，所謂『蒼梧之野』，得病而死，葬於九疑山下。後人爲他建祠，至今九疑山下還有舜祠。娥皇、女英得到舜帝病死的消息，日夜悲哭，不久就投水而死。她們的眼淚灑在竹竿上，就成爲湘妃竹。後人在湘陰爲她們建祠，稱爲黃陵廟。

黃陵廟是李群玉經常經過的地方。他對這兩位堯女舜妃的故事，很有感動，每次經過，必賦一詩。現在他的詩集中，還存四首。據說他從校書郎告病假回湖南時，又經過湘陰，在黃陵廟題詩一首：

黃陵廟

小姑洲北浦雲邊，二女明妝尙儼然。
野廟向江春寂寂，古碑無字草芊芊。
風回日暮吹芳芷，月落山深哭杜鵑。
猶似含嚬望巡狩，九疑如黛隔湘川。

這首詩很流利，詩意也明白清楚，無須注釋。第二句是說廟中神像塑造得栩栩如生。中間二聯在寫景中表悽惻的懷古之情。結尾句設想二妃還好像在悲哀地遙望南巡的帝舜，可是隔著湘江的九疑山，在雲霧之中，烏沉沉地望不清楚。

李群玉題詩之後，當晚就住在山下旅館中。夢見兩個女子，自言是娥皇和女英。因爲被李群玉的好詩所感動，所以來致謝。並且說，兩年之後，你將『遊於汗漫』，那時我們就可以和你敘會了。李群玉就和她們互敘情好，一會兒她們便倏然不見。兩年以後，李群玉果然得病身亡，大約就是神女所謂『遊於汗漫』去了。

這個夢，大約李群玉很高興，常常講給朋友聽。《唐詩紀事》說『段成式誌其事』。段成式是《酉陽雜俎》的作者，喜愛記錄異聞奇事，但李群玉的故事卻未見於此書。不過段成式有兩首《哭李群玉》詩，我們非但可以由此知道李群玉曾自己誇說過這個美夢，而且也可以了解李群玉的人品：

哭李群玉

曾話黃陵事，今爲白日催。
老無兒女累，誰哭到泉臺。

哭李群玉

酒裏詩中三十年，縱橫唐突世喧喧。
明時不作禰衡死，傲盡公卿歸九泉。

無獨有偶，同時有一位四川詩人李遠，字求古，也是一個『誇邁流俗，爲詩多逸氣』的人。宣宗時，宰相令狐綯要任命他爲杭州刺史。皇帝說：『此人做詩，有「青山不厭一杯酒，白日惟銷一局棋」的話，他整天飲酒下棋，能做地方官嗎？』宰相說：『這是詩人偶爾感興，未必眞是如此懶散。』皇帝說：『好吧，讓他去試試，看他政績如何。』李遠上任之後，果然清廉能幹，大得民心。李群玉喜吃鵝，李遠卻愛吃鴨。凡有貴客經過他的治邑，他不送財物，止送兩隻綠頭鴨。他又喜歡收藏歷史文物，特別注意於天寶遺物，曾在關中一個和尚處訪得一雙楊貴妃的襪子，鄭重珍藏，常常取出來給朋友們賞玩。李群玉在黃陵廟題詩時，李遠正任江州刺史。李群玉從湖南東遊，路過九江，訪晤李遠。二人談笑永日，情誼極爲契合。李群玉又講起黃陵廟夢中的愛情遭遇，李遠也取出楊妃的襪子給群玉欣賞，並說：『我自從得到這雙又軟又輕，既香既窄的妙物之後，每次一見，就好像身在馬嵬坡下，與貴妃會合。』於是二人皆拊掌戲笑，各有賦詩（見《唐才子傳》）。

這是兩個詩人的色情狂故事，都可以用弗羅伊德的性心理分析方法來解釋。這兩個詩人，詩雖然寫得很清逸，但人品都是端莊嚴肅，不像杜牧、溫飛卿等人的風流放誕。因而他們都有被壓抑的潛在意識。李群玉的夢，是他的潛在意識的暴露；李遠的襪，也是潛在意識的寄托物。可惜當時二人所賦之詩沒有流傳下來。

李群玉還有幾首黃陵廟詩，大約是早期所作，今一併抄錄於此：

黃陵廟

黃陵廟前莎草春，黃陵女兒茜裙新。
輕舟短棹唱歌去，水遠山長愁殺人。

題二妃廟

黃陵廟前春已空，子規啼血滴松風。
不知精爽歸何處，疑是行雲秋色中。

湘妃廟

少將風月怨平湖，見盡扶桑水到枯。
相約杏花壇上去，畫欄紅紫鬥樗蒲。

湘中古怨（第三首）

南雲哭重華，水死悲二女。
天邊九點黛，白骨迷處所。
朦朧波上瑟，清夜降北渚。
萬古一雙魂，飄飄在煙雨。

二妃廟、湘妃廟，都就是黃陵廟。第一首是用竹枝歌體寫黃陵廟下的姑娘們，穿了茜紅色的新裙子，划船唱歌而去，使人感到水遠山長，無可追蹤。何義門評得好：『結句是欲往從之而無由，亦《楚辭》求女之意。』

第二首第一句寫時，『春已空』即春光已盡。第二句用『子規啼血』來表現二妃的怨情。第三、四句說：不知二妃的精靈現在何處，我疑心她們在秋空中像巫山神女一樣地行雲行雨。這二句已透露了詩人的心理狀態，爲夢的預兆了。

第三首不敢曲解，似乎題目與詩不合，可能有錯誤。

第四首用賦體描寫二女，全是這個神話的叙述。但結尾二句，已有『疑是行雲秋色中』的幻想了。

一九八五年四月十二日

88 劉駕：詩八首

劉駕的生平不甚可知，合《唐才子傳》及《全唐詩》兩種資料，止能知道他字司南，江東人。大中六年（公元八五二年）進士。與曹鄴爲好友，二人俱工古風。鄴先登第，不忍先歸，居長安，待駕成名，乃同歸范蠡故山。時國家收復河湟，駕獻樂府十章，上甚悅，歷官至國子博士。所謂『江東人』，又云與曹鄴同歸范蠡故山，似乎二人皆越中人。但曹鄴小傳明明說是桂州人，可知記傳有誤。

劉駕詩多五、七言古體。在律詩泛濫，人人競爭一聯一句之奇的時候，作古體詩成爲空谷足音，亦足以引人注意。但現存劉駕詩一卷中，就是古體詩也沒有特異之作，所以在晚唐諸詩人中，他不能如陳子昂在武則天時代那樣傑出。

早行

馬上續殘夢，馬嘶時復驚。
心孤多所虞，僮僕近我行。

棲禽未分散，落月照古城。
莫羨居者閒，冢邊人已耕。

這篇《早行》是劉駕的著名作品，但也止是好在第一句。它和溫庭筠《商山早行》詩中二句『雞聲茅店月，人跡板橋霜』被稱爲描寫旅人早行的佳句。

旅人在客店裏，夢還沒有醒，已經被僮僕催起身，出門趕路了。於是，騎在馬上，昏昏沉沉的，還是續做昨夜的殘夢。每逢馬嘶聲，便吃了一驚。第三、四句說：早行人心情有孤獨之感，因而走路不放心，有各種各樣的顧慮。僮僕也和我一樣，挨近了我一起走，不敢離開。第五、六句描寫一個早字。樹上的鳥還沒有四散飛去，城頭上還可見月亮正在落下。第七、八句寫旅行人感到行旅的忙碌與辛苦，有點羨慕住在家裏的人生活悠閒。但是，一看冢墓旁邊已有人在耕地，便悟到居者也並不悠閒，他們也是要清早起來勞動的。這兩句的意義是旅行人自己寬慰，也解釋了上文『心孤多所虞』。

古出塞

朔風不開花，四氣多作雪。
北人尙凍死，況我本南越。
古來犬羊地，巡狩無遺轍。

九土耕不盡，武皇猶征伐。
中天有高閣，圖畫何時歇。
坐恐塞上山，低於沙中骨。

這是一首諷諭統治階級開邊的樂府詩，在晚唐詩中，也可算是鳳毛麟角了。詩意說：胡地的風不會催開花朵，四季的氣候都止能釀雪。北方人有時都會凍死，何況我是南越來的人。這四句寫出關後的氣候感覺。中四句說：從古以來，這種犬羊所居之地，一直有帝王到處巡狩。九州土地還沒有全部開發，可是皇帝還要發兵出征，開拓邊境。下四句說：天上有一座高樓，永遠在給開邊的名將功臣繪畫圖像，以爲獎勵。這是指唐朝宮中的凌煙閣。閣上有歷代文武勛臣的畫像。結句是反話，但恐沙場上戰死兵士的白骨，會比山還高。

賈客詞

賈客燈下起，猶言發已遲。
高山有疾路，暗行終不疑。
寇盜伏其間，猛獸來相追。
金玉四散去，空囊委路岐。

揚州有大宅，白骨無地歸。
少婦當此日，對鏡弄花枝。

這首詩反映了當時商旅情況。商人住在客店裏，天未明就出門上路，還說已經遲了。高山上有一條捷徑，在昏暗中行走，一點沒有顧慮。不提防那裏有強盜，有猛獸。被害死了生命，金玉珍寶都被劫去，止有空的囊橐抛在路口。這個商人家在揚州，住的是大宅院，可是他的白骨卻無法回去。當他在行路中被害的時候，家裏的年輕妻子還正在對鏡插花呢。

這首詩寫得很緊湊簡淨，每二句概括一層意思，沒有一個多餘的字句。『疾路』即快速的路，亦即近路，恐怕應當寫作『捷路』。『伏其間』原作『伏其路』，重複了『路』字，今改爲『間』字。

劉駕還有幾首獨創一格的詩，也抄出來展示他對詩的新形式的追求：

春夜二首

一別杜陵歸未期，只憑魂夢接親知。
近來欲睡兼難睡，夜夜夜深聞子規。
幾歲干戈阻路岐，憶山心切與心違。
時難何處披衷抱，日日日斜空醉歸。

鄴中感懷

頃年曾住此中來，今日重遊事可哀。
憶得幾家歡宴處，家家家業盡成灰。

晚登迎春閣

未櫛憑欄眺錦城，煙籠萬井二江明。
香風滿閣花滿樹，樹樹樹梢啼曉鶯。

望月

清秋新霽與君同，江上高樓倚碧空。
酒盡露零賓客散，更更更漏月明中。

這五首詩，每首的第四句都重疊三字，第四首連上句共疊四字。這決不是偶爾的事，顯然是作者有意嘗試，創造一種新穎的句法。但這止是一時文字遊戲，不可能成爲定格，所以後世詩人，雖也間或摹仿做一二首，不算是絕句的一體。但我們可以給它們定一個名稱，叫做疊字詩。

一九八五年四月十五日

89 秦韜玉：貧女

秦韜玉，字仲明，京兆人。他父親是一個禁衛軍官，但他卻愛好文學，作詩恬和瀏亮。他巴結上當時有權有勢的宦官田令孜，由田令孜的提拔，不到一年，官至丞郎，爲保大軍節度使幕下的判官。僖宗避難入蜀，他也隨駕同行。中和二年（公元八八二年），禮部侍郎歸仁紹主試，僖宗特下敕命，賜秦韜玉進士及第，並命禮部把秦韜玉列入及第進士二十四人名額內一起安排官職。以後田令孜就汲引他爲工部侍郎。

以上是《唐才子傳》記載的秦韜玉的履歷。由此看來，唐代三百年的詩人中，他的出身最爲特殊。『丞郎』是縣丞和校書郎一級的官職，一般都是進士及第後的第一任官職。秦韜玉未經考試及第，已經以丞郎的官位任職節度判官，這已經是破天荒的事了。後來又不經考試，而由皇帝的敕命成爲及第的進士，更依靠宦官的提拔，一下子升遷爲工部侍郎，官運迅速，也是古所未聞的。

秦韜玉詩有《投知小錄》三卷，但現存於《全唐詩》中的止有三十六首，大多是七言律詩。詩不甚佳，而《貧女》一首卻爲歷代傳誦的名作。

貧女

蓬門未識綺羅香，擬托良媒亦自傷。
誰愛風流高格調，共憐時世儉梳妝。
敢將十指誇纖巧，不把雙眉鬥畫長。
苦恨年年壓金線，爲他人作嫁衣裳。

這首詩寫一個天生自然美麗的貧女，不學時世流行的梳妝打扮，因而不被人們賞識，嫁不出去。天天在家做針線活計，卻是爲別人做嫁時衣。詩的主題思想，一讀就明白，顯然是有比興意義的。最後二句，尤其爲歷代以來，以文字工作爲達官貴人服務的人，常常引用來發洩牢騷。『爲人作嫁』這個成語，就是出於此詩。

但是，這首詩的總的意義，雖然人人都能了解，其中間二聯卻直到如今沒有人能完全理解。我們先看一段《唐詩鼓吹》中廖文炳的解釋：

此傷時未遇，托貧女以自況也。首言貧居蓬門，素不識綺羅之香，擬托良媒以通意，不免枉己以徇人。亦爲之自傷也。喻不可托人薦拔以致用也。且以人情言之，格調之高，未必致愛；梳妝之儉，時所共憐。喻世有才德者則不之用；致飾於外者，則好之耳。五句言不敢以工巧誇世，六句言不敢以描畫自驕。末則致其自傷之意。謂吾所最恨者，年年壓金線，以作他人嫁時之服，惜我貧居，久不適人，其情於是乎可憫也。

再看新近出版的《唐詩選》，編者注釋云：

風流，舉止瀟灑。高格調，胸襟氣度超群。憐，在這裏也是愛的意思。時世，當代。上句的誰字貫下句。這兩句說：有誰欣賞不同流俗的格調，又有誰與貧女共愛儉樸的梳妝呢？也就是說，當時只有卑俗的格調和奢靡的梳妝才被人喜愛。

從元明到如今，我止見到這兩段比較詳細的解釋，可以看清作者對此詩每一句的了解情況。《唐詩鼓吹》中朱東岩也有一段評解，說得很含糊，看不清他對關鍵句子的了解情況，故不錄出。

以上兩段解釋沒有多大差距。他們都把『誰愛』、『共憐』二句理解爲平行句，『風流高格調』是屬於貧女，『時世儉梳妝』也屬於貧女。『敢將』、『不把』二句，廖文炳也理解爲平行句，《唐詩選》編者雖沒有講到，但可知他和廖文炳的體會沒有不同。

我認爲，這兩聯四句，他們都講錯了。也許歷代以來，讀此詩者，也都是這樣講法。那麼，這首詩一向沒有人完全理解，也說不定。不過，喻守眞注解《唐詩三百首》，在此詩後的一段『作法』簡釋卻很有意思：

首句以『綺羅香』襯『貧』字。次句以『傷』字立意。頷聯上句是自矜身分，下句是鄙棄時俗。頸聯是不露才華，下句是不同流俗。末聯是傷不得其時，『苦恨』是從『自傷』中來，『壓金線』又從『針巧』①而來。貧女的擬托良媒，正反映詩人的無人汲引，不能得志……

雖然沒有逐句講明，但可知他都不把中二聯的上下句理解爲平行句。上句的理解沒錯，下句則似乎還沒有講通。

這首詩牽涉到『時世妝』。如果不了解當時婦女的『時世妝』是什麼樣式，就不容易了解第二聯和第三聯的下句。陳寅恪在《元白詩箋證稿》中，已搜集了一些關於從天寶至貞元、元和年間的婦女時行妝束的資料，現在我們可以利用他的研究成果來解釋『共憐時世儉梳妝』及『不把雙眉鬥畫長』這兩句。這兩句的意義弄清楚之後，才能正確地了解兩聯的作者原意。

小頭鞵履窄衣裳，青黛點眉眉細長。
外人不見見應笑，天寶末年時世妝。

這是王建的一首《宮詞》。說當時宮女的裝束，還是天寶末年的時妝。鞋頭小，衣裳也窄小，眉毛畫得又細又長。當時民間婦女的裝束已經改變，宮女的裝束已成爲老式，所以王建說幸而外人見不到這樣裝束的宮女，如果見到，一定會失笑。

白居易《新樂府》有一首《時世妝》，記錄了貞元、元和年間婦女的時妝：

①針巧：此字《唐詩品彙》作『織巧』。《全唐詩》作『偏巧』，注云：『一作織。』諸家引用亦多作『織巧』。只有《唐詩三百首》作『針巧』。觀原詩下句對『鬥畫長』，則『針』字亦有理。

時世妝，時世妝，出自城中傳四方。
時世流行無遠近，腮不施朱面無粉。
烏膏注唇唇似泥，雙眉畫作八字低。
妍媸黑白失本態，妝成盡似含悲啼。
圓鬟無鬢椎髻樣，斜紅不暈赭面狀。（下略）

臉上不施朱粉。唇膏是烏黑的。眉毛畫作八字式，好像在哭。梳兩個圓鬟而無鬢腳，像胡人的椎髻。總之，這樣的妝飾是效法胡人的，所以白居易詩的結句云：

元和妝樣君記取，髻椎面赭非華風。

同時元稹有一首詩《有所教》，大約是教訓他家中婦女的：

莫畫長眉畫短眉，斜紅傷豎莫傷垂。
人人總解爭時勢，都大須看各自宜。

第一句容易了解，不要畫長眉毛，要畫短些。第二句我們已不易了解。『斜紅』是什麼？白居易詩中也有『斜紅』，大約是頰上胭脂的式樣。白居易詩是說不塗紅色而用赭色，元稹這一句是說塗胭脂寧可豎，不要垂。但怎麼叫豎與垂就不可知了。第三、四句是說：雖然人人都要學時髦妝飾，但也要看各人自己適宜於何種妝飾。（『時勢』即『時世』。）

貞元、元和以來通行的這種時世妝，稱爲『儉妝』，因爲比較樸素，不用脂粉而用赭色土粉，也較爲儉約。《唐會要》載文宗時曾下詔禁止婦女『高髻、儉妝、去眉、開額』①。可知當時婦女的眉樣，又從短眉而時行到剃去眉毛了。

看了這些有關唐代婦女裝飾史的資料，我們可以對某些賦詠婦女生活的詩篇有更深的了解。例如朱慶餘的『妝罷低聲問夫婿，畫眉深淺入時無』，這句詩的時代背景，正是婦女眉樣在轉變的時候，所以新娘自己沒有把握，不知道所畫的眉樣合不合時世妝。

現在，我們可以回頭來講秦韜玉的這首《貧女》詩了。起聯和尾聯都沒有問題，大家所理解的也沒有差距。主要是講中間二聯四句。

『誰愛風流高格調』，此句是貧女『自矜身分』。她知道自己風格太高，無人喜愛。諸家所釋，都是一樣。不過『風流』二字，並非指『舉止瀟灑』，而還是指妝飾高華。白居易詩中有幾次用到『風流』，例如：

風流誇墮髻，時世鬥啼眉。

風流薄梳洗，時世寬妝束。

---

①《唐會要》卷三十一載唐文宗大和六年（公元八三二年）有司奏：『婦人高髻險妝，去眉開額，甚乖風俗，頗壞常儀。費用金銀，過爲首飾，並請禁斷。其妝梳釵篦等，伏請敕依貞元中舊制。仍請敕下後，諸司及州府榜示，限一月內改革。』此文中『險妝』乃『儉妝』之誤。《唐詩鼓吹》注引此文，作『儉妝』，是。

這裏『風流』都與『時世』對舉，兩聯都是平行句，可知『風流』也是指婦女妝飾時髦、漂亮的意思。秦韜玉這一句的意思是說：『誰喜愛我這種不合時宜的高格調的打扮呢？』

接下去說：『共憐時世儉梳妝。』這裏一個『共』字，一個『儉』字，大家都講錯了，因此沒有掌握到作者的原意。『共』字應講作『許多人』，『衆人』。『儉梳妝』本該是『儉妝』，因爲要湊足七字，而加入一個『梳』字。整句的意思應當講作：『大家都喜歡時行的儉妝。』許多人不知道當時的時世妝名爲『儉妝』，於是廖文炳講作『梳妝之儉，時所共憐』。《唐詩選》編注者講作：『有誰與貧女共愛儉樸的梳妝呢？』這個『儉』被講成可以肯定的美德了。

頸聯二句就牽涉到畫眉的問題了。當時是通行畫短眉，或者甚至剃去眉毛的『時世』，那麼，如果有一個姑娘自以爲手指纖巧，偏偏要畫長眉，豈非背時？詩人要描寫貧女不敢背時，止得從俗，因此說：『我不敢自誇手指纖巧，所以不畫長眉。』喻守眞以爲這下句是表示『不同流俗』，恰恰是講反了。

結尾句『爲他人作嫁衣裳』，是『爲他人＋作＋嫁衣裳』的結構法。這是一個拗句，又稱折腰句。在誦讀的時候，止能照一般七言句那樣讀作『爲他＋人作＋嫁衣裳』。

一九八五年四月二十日

90 皮日休、陸龜蒙：雜體詩五首

皮日休，字襲美，又字逸少，襄陽人，隱居鹿門山，自號醉吟先生。咸通八年（公元八六七年），登進士第，歷官著作佐郎，太常博士。咸通九年，東遊吳越，認識了陸龜蒙，互相唱和，結爲詩友。著有《皮子文藪》十卷。

陸龜蒙，字魯望，別號天隨子、甫里先生、江湖散人、漢涪翁、漁父、江上丈人。蘇州人，居臨頓里。善爲詩文，名振全吳。舉進士，未及第。家有藏書萬卷，嗜飲茶，在顧渚山下置茶園，又著《茶經》，盧仝以後，論茶道者推重之。乾符六年（公元八七九年）春，臥病笠澤，隱几著書，自編其詩賦銘記雜文，爲《笠澤叢書》四卷。中和初，以疾卒。

皮、陸二人，自結交後，所爲詩皆互相唱和，嘗自編其唱和之詩爲《松陵唱和集》。在文學史上，號稱皮陸。他們的詩，在晚唐詩壇別成江湖隱逸一派。詩風清秀平淡，多題詠風物之作，無溫李的縟麗，亦不作郊島的枯槁。

現在我不想講皮、陸的詩，但要講他們二人開創的許多先例。首先是『叢書』這個名詞，起於陸悟》是中國第一部叢書，可能也是全世界第一部叢書。

龜蒙的《笠澤叢書》。原意是個人的『雜著』，後來卻成爲許多書的結集。南宋時俞鼎孫編的《儒學警

唱和詩是早已有的，從初唐的君臣唱和到元稹、白居易的唱和，都是一人首唱，一人奉和，題目雖同，詩還是各人各做。到皮、陸則開始了次韻唱和，即和作的詩必須依次用首唱詩的韻腳。例如皮日休有《新秋言懷寄魯望三十韻》五言古詩一首，最初四韻是『郊』、『巢』、『蛸』、『敲』。陸龜蒙寫了一首和詩，題云：《奉和襲美新秋言懷三十韻次韻》，這首詩的最初四韻也是『郊』、『巢』、『蛸』、『敲』。以下也完全依次用皮日休原詩的韻腳。這就稱爲次韻和詩。陸龜蒙有一首《和張廣文賁旅泊吳門次韻》。張賁停船在蘇州時寫了一首五言律詩，陸龜蒙依韻和了一首。後來又作一首酬答張賁，題目就稱：《又次前韻贈張廣文》，這樣就是連作兩首次韻詩了。自從皮、陸首創了次韻唱和之後，後世就有了一人首唱，衆人次韻和作的風氣。爲了爭奇鬥勝，有時甚至和到許多首，稱爲『疊前韻』、『再疊前韻』，一直到七疊、八疊。這樣的詩，完全是矜誇用韻之巧，詩的內容當然不會好。

在皮、陸以前，沒有唱和詩集。《松陵唱和集》之後不久，就出現了《西崑酬唱集》。從此詩的出版物中，又時行了一種唱和詩集。清代人喜歡結詩社，命題作詩，唱和詩集日益增多了。

皮、陸二人又喜歡做各種體式的詩。他們的詩集中都有一卷《雜體詩》，其中有雜言詩、齊梁詩、迴文詩、四聲詩、雙聲疊韻詩、離合體詩、古人名詩、六言詩、問答詩，可謂別開生面，洋洋大觀了。皮日休有《雜體詩序》一篇，說明這些詩的淵源。其中大多數是六朝時已有。劉禹錫也做過迴

文、離合、雙聲疊韻等詩。現在陸龜蒙加以新變，給它們注入了新的生命。不過，這些詩體，畢竟是文字遊戲，不能作爲唐詩的發展。現在選錄幾首例子，看看晚唐詩人的以詩爲遊戲的雅興：

㈠四聲詩　四聲詩四首，全是五言律詩。第一首平聲，全詩都用平聲字。第二首平上聲。第一句全用平聲字，第二句全用上聲字。以下同樣，一句平聲字，一句上聲字。第三首平去聲。一句平聲字，一句去聲字，輪換到底。第四首平入聲。也同樣，一句平聲，一句入聲。下面是皮日休的《夏日平入聲》：

先生何違時，一室習寂歷。
松聲將飄堂，岳色欲壓席。
彈琴奔玄雲，斸藥折白石。
如教題君詩，若得札玉冊。

㈡雙聲疊韻詩　五言絕句二首。一首用雙聲字，一首用疊韻字。下面是陸龜蒙的《疊韻山中吟》。第一、三句用平聲韻，第二、四句用入聲韻。每句五字同韻：

瓊英輕明生，石脈滴瀝碧。

玄鉛仙偏憐，白幘客亦惜。

㈢離合詩　離合詩起於孔融，有二種。一種是單字離合，一種是名詞離合。今各舉一例：

晚秋吟（以題字離合）

東皋煙雨歸耕日，免去玄冠手刈禾。
火滿酒爐詩在口，今人無計奈儂何。

——皮日休

此詩第一句末字與第二句首字合併，即爲『晚』字。第二句末字與第三句首字合併，即爲『秋』字。第三句末字與第四句首字合併，即爲『吟』字。這就是所謂單字離合。

藥名離合夏日即事

避暑最須從樸野，葛巾筠席更相當。
歸來又好乘涼釣，藤蔓陰陰著雨涼。

——陸龜蒙

仍用上下二句首尾二字結合，就是一個藥名。此詩中所離是三個藥名：野葛、當歸、鈎藤。但第三個藥名顯然是錯了。藥名只有鈎藤，沒有釣藤。而這句詩決不能以鈎字結尾。可知陸龜蒙讀錯了藥名。

㈣迴文詩　迴文詩起於晉朝的傅咸。他有迴文反覆詩二首，所以又稱反覆詩。一首詩，順讀倒讀，都讀得通，都是押韻的詩。六朝人的迴文詩，都是四言、五言的短詩，作迴文比較容易，七言律詩五十六字，作迴文就不容易了。

曉起即事

平波落月吟閒景，暗幌浮煙思起人。
清露曉垂花謝半，遠風微動蕙抽新。
城荒上處樵童小，石蘚分來宿鷺馴。
晴寺野尋同去好，古碑苔字細書匀。

迴文

匀書細字苔碑古，好去同尋野寺晴。
馴鷺宿來分蘚石，小童樵處上荒城。
新抽蕙動微風遠，半謝花垂曉露清。

人起思煙浮幌暗，景閒吟月落波平。

——陸龜蒙

《雜體詩》一卷之外，皮、陸唱和詩中還有許多吳體詩，也值得我們注意。在講杜甫詩的時候，我講過他兩首吳體七律，那是『吳體』這個名詞初次出現。注釋家都不很知道它的意義，直到清代的桂未谷還以爲吳體就是吳均體。到中唐時期，在許多詩人的詩中常常可以見到吳聲、吳吟、越調等名詞，顯然可知吳人吟詩的聲調與中原不同。如果用吳人吟詩的腔調來做詩，就會做出一種拗句詩。但是，我猜想，這種詩用中原人的腔調來吟誦，是拗句；用吳聲來吟誦，可能並不拗。中唐時期，中原人士到江南來的很多，他們喜歡聽吳儂軟語，於是吳聲時髦起來。這情況，正和東晉時流行吳聲歌曲一樣。陸龜蒙是蘇州人，他高興做幾首吳體詩。皮日休受他的影響。況且也在江南住過幾年，他們二人的詩集中有好幾首用吳體的唱和詩，可以證明吳體詩就是拗句詩，而不是吳均體。

《瀛奎律髓》卷二十五是『拗字類』詩，選錄五言律詩十首，七言律詩十八首。方虛谷有一段解題云：

拗字詩在老杜集七言律詩中，謂之吳體。老杜七言律一百五十九首，而此體凡十九出。不只句中拗一字，往往神出鬼沒，雖拗字甚多，而骨骼愈峻峭。今江湖學詩者，喜許渾詩『水聲東去市朝變，山勢北來宮殿高』、『湘潭雲盡暮山出，巴蜀雪消春水來』，以爲丁卯句法，殊不知始於老杜。如『負鹽出井此溪女，打鼓發船何郡郎』、『寵光蕙葉與多碧，點注桃花舒小紅』之類是也。……唐詩多此類，獨老杜吳體之所謂拗，則才小者不能爲之矣。五言律亦有拗者，只謂語句要渾成，氣勢要頓挫，則換易一二字平仄，無害也。但不如七言吳體全拗耳。

從這一段解題中，我們可以看出兩個問題。㈠五言律詩有沒有吳體？㈡一二字拗與全篇都拗，是否都是吳體？杜甫止在全篇都拗的七言律詩前說明是吳體，一、二字拗的五言及七言律詩並不題作吳體。皮日休、陸龜蒙詩標明是吳體的，都是全篇拗句。他們也有一、二句拗的五言或七言詩，但都不標明是吳體。由此可知，止有全篇拗句的七言律詩才是吳體，一、二句有拗字的並不是吳體。因此，吳體與拗字並非一個概念。吳體詩是八句全拗。止有一、二句用拗字的詩，止能稱爲拗字詩，或折腰體，不是吳體。五言律詩只有拗字，沒有吳體。這一結論，是我參閱皮、陸兩人詩集體會到的。

現在選抄一首陸龜蒙的吳體詩以供參考：

晚秋吳體寄襲美

荒庭古樹只獨倚，敗蟬殘蛩苦相仍。
雖然詩膽大如斗，爭奈愁腸牽似繩。
短燭初添蕙幌影，微風漸折蕉衣棱。
安得彎弓似明月，快箭拂下西飛鵬。

一九八五年四月二十五日

91 三家詠史詩十首

詠史詩不是一種特定形式的詩，而是一種特定題材的詩。凡是歌詠某一歷史人物或歷史事實的詩，都是詠史詩。《文選》第二十一卷有《詠史》一類，選王粲《詠史》詩一首至虞羲《詠霍將軍北伐》詩一首，共九家，詩二十一首。其中惟王粲、左思、張協、鮑照四人的詩題作《詠史》，此外，曹植稱《三良詩》，盧諶稱《覽古詩》，謝瞻稱《張子房詩》，顏延年稱《秋胡詩》、《五君詠》。可知雖不以『詠史』爲題，止要題材是歷史人物或歷史事實，都屬於詠史詩一類。這是詠史詩的先決條件。

我曾在講陳子昂詩的時候提到過詠史詩。我說陳子昂的《感遇詩》三十八首中有一部分是詠史詩，也是根據那些詩的題材內容來區分的。從陳子昂以後，許多詩人都做過詠史詩，不過很少以『詠史』爲題目。例如杜甫的《武侯廟》、《八陣圖》是詠史詩，但《詠懷古跡》八首卻是『懷古』詩，而不是詠史詩了。這裏就牽涉到另一個條件，以歷史人物或歷史事實爲題材的，也可能不是詠史詩。借歷史人物或事實來抒發自己身世之感的，屬於詠懷。遊覽古跡而觸發感慨的，屬於懷古。止有客觀地賦詠歷史人物或事實，或加以評論，或給前人的史論提出翻案意見，這才是本色的詠史詩。但這樣的詠史詩，也還很難與詠懷或懷古分清界線。詩人筆下總有感情，絕對客觀的詠史詩，毫無意義，恐怕許多詩人都不屑下筆。

但是，晚唐時期，詠史詩似乎時行起來，先後出現了三位詠史詩作者：胡曾、汪遵、周曇。

胡曾的傳記，以《唐才子傳》所載爲較詳，現在全抄在這裏：

胡曾，長沙人也。咸通中進士。初，再三下第，有詩云：『翰苑幾時休嫁女，文章早晚罷生兒。上林新桂年年發，不許閒人折一枝。』曾天分高爽，意度不凡，視人間富貴，亦悠悠。遨歷四方，馬跡窮歲月。所在必公卿館轂。上交不諂，下交不瀆，奇士也。嘗爲漢南節度從事。作詠史詩，皆題古君臣、爭戰、廢興塵跡。經覽形勝、關山、亭障、江海深阻，一一可賞。人事雖非，風景猶昨。每感輒賦，俱能使人奮飛。至今庸夫孺子，亦知傳誦。後有擬效者，不逮矣。至於近體律絕等，哀怨清楚，曲盡幽情，擢居中品，不過也。惜其才茂而身未穎脫，痛哉！今《詠史詩》一卷，有咸通中人陳蓋注，及《安定集》十卷行世。

這篇傳記雖然對胡曾的生平出處沒有詳細記錄，但可知其人品相當高尚。他的詠史詩在當時已普遍爲人傳誦。他的《安定集》詩十卷，今已亡佚，《全唐詩》中收錄了他的雜律絕詩十二首，亦未見有哀怨幽情之作。《詠史詩》，《全唐詩》說原有三卷，今併作一卷。《唐詩紀事》說胡曾『有詠史詩百篇行於世』。現在《全唐詩》中共存一百五十首，都是七言絕句。所詠以歷史古跡爲多，沒有時代次序，似乎隨感隨作。現在選錄四首，以見一斑：

居延

漠漠平沙際碧天，問人云此是居延。
停驂一顧猶魂斷，蘇武爭禁十九年。

垓下

拔山力盡霸圖隳，倚劍空歌不逝騅。
明月滿營天似水，那堪回首別虞姬。

華亭

陸機西沒洛陽城，吳國春風草又青。
惆悵月中千歲鶴，夜來猶爲唳華亭。

姑蘇臺

吳王恃霸棄雄才，貪向姑蘇醉綠醅。
不覺錢塘江上月，一宵西送越兵來。

這四首，都有些像詠懷古跡，但沒有詩人的感慨。除了第一首結句可以說是作者感懷以外，其他三首都止是概括了一個歷史事實。第一首詠蘇武被匈奴王扣留了十九年，現在我來到居延，如此荒涼的沙漠地，駐馬一看也都要心驚魂斷，想到蘇武在這個地方住了十九年，怎麼受得了。這首詩不壞，可惜不是胡曾的創作，他是剽竊了杜牧的詩：

邊上聞胡笳

何處吹笳薄暮天，塞垣高鳥沒狼煙。
遊人一聽頭堪白，蘇武爭禁十九年。

第二首寫項羽兵敗別虞姬的故事，第三首寫陸機的故事。陸機在洛陽被殺時嘆息道：『從此不能再聽到華亭鶴唳了。』陸機是華亭（今上海市松江縣）人，這地方海濱常有白鶴來棲息。第四首寫吳王夫差耽於酒色，殺戮英雄，以致被越兵所滅。這三首詩都沒有作者的意見。既無所感，又無評論。它們止是一個歷史故事的歌訣，讀了這個歌訣，就記起這個故事。正如《幼學瓊林》、《龍文鞭影》這些通俗書一樣，以一個四字句概括一個典故，給小學生念，幫助他們的記憶。胡曾的詠史詩，到明代還是農村蒙館先生教小學生的歷史課本。此外，我們又在《宣和遺事》中看到許多胡曾的詠史詩，被引用來作爲『有詩爲證』的唱詞，可知這些詩曾爲說唱史書的評彈家所利用，講到有關的歷史故事，就彈唱一首胡曾的詩。這又是詠史詩的第二個作用。由以上所舉兩個情況看來，這一類的詠史詩之所以在晚唐時候忽然有許多人大量的寫作，一寫就是一百多首，可知它們是當時的大衆文學。

《唐詩紀事》記載了一段胡曾詠史詩的軼事：據說五代時蜀王衍也是個好色酗酒的荒淫國君，有一次在宴飲席上，他自己高唱一首韓琮的《柳枝詞》，詩云：『梁苑隋堤事已空，萬條猶舞舊春風。

何如思想千年事，誰見楊花入漢宮。』這是一首借詠楊柳來悼惜隋煬帝亡國的詩。當下有一個宦官就唱了胡曾的一首『吳王恃霸棄雄才』詩。蜀王聽了便發怒罷宴。這件事也反映了胡曾詠史詩在當時的普遍流行。

汪遵是宣州涇縣（今安徽宣城）人。幼年即爲縣中小吏。勤學苦讀，咸通七年（公元八六六年）登進士第。與胡曾是同時同輩。《全唐詩》中收錄他的詠史詩五十九首，也都是七言絕句，風格與胡曾的詩一樣。這裏也選抄四首爲例：

梁寺

立國從來爲戰功，一朝何事卻談空。
臺城兵匝無人敵，閒臥高僧滿梵宮。

燕臺

禮士招賢萬古名，高臺依舊對燕城。
如今寂寞無人上，春去秋來草自生。

陳宮

椒宮荒宴竟無疑，倏忽山河盡入隋。
留得後庭亡國曲，至今猶與酒家吹。

白頭吟

失卻青絲素髮生，合歡羅帶意全輕。
古今人事皆如此，不獨文君與馬卿。

第一首詠梁武帝佞佛，被侯景圍困，餓死臺城事。第二首詠燕昭王築黃金臺招聘賢士事。第三首詠陳後主荒宴亡國，留下『玉樹後庭花』歌曲至今猶爲酒家妓女吹唱。這二句顯然是用杜牧《泊秦淮》詩意。第四首詠司馬相如與卓文君的故事。

周曇的生平，我們所知更少。《全唐詩》小傳止說他是唐末人，官爲守國子直講，有詠史詩八卷。現在《全唐詩》中改編爲二卷，計詩一百九十首，不知是否全帙。但詩的數量已比胡曾和汪遵多了。周曇的詠史詩是有組織有計劃寫作的。它按歷史朝代分爲十門，計唐虞門詩四首，三代門十六首，春秋戰國門九十三首，秦門六首，前漢門十六首，後漢門十七首，三國門五首，晉門十一首，六朝門十九首，隋門四首，共一百八十八首。每首詩都以帝王將相爲題，不像胡曾、汪遵那樣用許多地名古跡爲題，近似懷古詩。卷前還有二首序詩，題作《吟叙》及《閒吟》。《吟叙》云：

歷代興亡億萬心，聖人觀古貴知今。
古今成敗無多事，月殿花臺幸一吟。

這是說明他作這些詩，雖然是在月殿花臺閒暇之時偶然吟詠，目的還是提供讀者觀古知今，爲歷史的借鑑。但詩卻做得不好，很有些道學氣，觀點也有些迂儒氣，似乎比不上胡曾。今抄錄二首供比較：

項籍

九垓垂定棄謀臣，一陣無功便殺身。
壯士誠知輕性命，不思辜負八千人。

顏回

陋巷簞瓢困有年，是時端木飫腥膻。
宣尼行教何形跡，不肯分甘救子淵。

第一首詠項籍垓下一敗便輕生自殺，未免對不起八千子弟。第二首詠顏回，怪孔子教育門生太拘於形跡，爲什麼不教富有的子貢拿出錢來救濟貧困多年的顏回？這樣的史論，豈不很迂氣？

以上唐末三家詠史詩，看來還是胡曾寫的較爲高明，所以還有單行本流傳著，其餘二家都未見專集。但即使胡曾所作，《四庫全書總目提要》還說：『其詩興寄頗淺，格調亦卑。惟其追求興亡，意存勸戒，大旨不悖於風人耳。』

詠史詩雖然並非開始於胡曾、汪遵，但大量結集，多至一百首的詠史專著，則是開始於晚唐的胡曾、汪遵。這就爲後世文人開闢了一條著作道路。南宋詩人劉屏山作《汴京紀事詩》，專詠北宋汴都史事；清代詩人厲鶚作《南宋雜事詩》，專詠南宋史事，這一類的詩集，可以説都是晚唐三家詠史詩的苗裔。

一九八五年五月三日

92　韓偓：香奩詩、長短句六首

韓偓字致堯①，京兆人，昭宗龍紀元年（公元八八九年）進士。他與韋莊都是唐代最後一群詩人。當時宦官弄權，軍閥跋扈，昭宗李曄於光化三年十一月，被左右軍中將劉季述逼迫退位，囚於東宮少陽院。韓偓與宰相崔胤定策誅殺劉季述。天復元年（公元九〇一年）正月，昭宗復位，崔胤晉爵爲司空，偓等賜號功臣。五月，擢升爲翰林學士，甚得昭宗信任，屢次召對，問以機密大事。因此爲宦官所忌，攻訐韓偓漏洩宮禁中語言，阻止昭宗再召見他。十月，朱全忠逼帝幸鳳翔，偓追至鄠縣，見帝慟哭。至鳳翔，遷兵部侍郎，進承旨。三年正月，帝還京師。二月，因爲朱全忠所惡，貶爲濮州司馬。臨行時，昭宗秘密與偓泣別。偓說：『這個人比以前那些人更壞，我降官而死，也許是幸事，

①韓偓的字，《唐書》本傳云字致光。計有功《唐詩紀事》云：字致堯。胡仔《苕溪漁隱叢話》云：字致元。《四庫總目提要》以爲當作致堯，光與元皆形近而誤。然吳融有《和韓致光侍郎無題三首十四韻》，吳融與韓偓同時同官，似不應有誤。

實在不忍看見他做出篡弒的罪行。』以後又貶爲榮懿尉，徙鄧州尉。天佑元年（公元九〇四年）四月，朱全忠逼帝遷都洛陽。八月，朱全忠弒帝於椒殿。天佑六年，召偓爲學士。偓不敢入朝，舉家南遷，至福建，依王審知。後唐同光元年（公元九二三年），卒於南安之龍興寺，年八十。

韓偓一生的政治生活，非常複雜。他和昭宗，有君臣知遇之感。崔胤是朱全忠的人，韓偓幫助崔胤，密謀誅殺劉季述，是借朱全忠之力肅淸宦官勢力。但誅殺劉季述的功臣中也有宦官。這些宦官分爲二派，一派是朱全忠的人，一派是李茂貞的人。劉季述的被殺，造成了新的一群宦官的勢力。韓偓和昭宗屢次密談，既爲新興的兩派宦官所忌，又爲朱全忠所忌，韓偓雖然想爲昭宗效忠，內誅宦官，外制軍閥，以保全李唐政權，但他畢竟是個手無寸鐵的文人，無能爲力。終於被朱全忠斥逐出去，眼看昭宗被弒，結束了唐代的歷史。

韓偓的詩集，從《唐書·藝文志》以後，歷代著錄的書名、卷數都不相同。但可知他有兩部詩集：一部是一般的詩集，名爲《翰林集》，或稱《韓翰林集》，或稱《韓內翰別集》，或稱《韓偓詩集》，這一集中所收都是他平日抒情、詠懷、唱和、記事的詩，詩格淸麗，與韋莊的《浣花集》相似。另一部名爲《香奩集》，所有著錄都相同，並無異名。這部詩集中所收都是描寫女色和男女偸期密約的艷情詩，風格是繼承李商隱的，但創作方法沒有李商隱的朦朧隱晦。這一集詩被視爲唐詩中最下流的，它在後世產生了許多不良影響。明淸兩代的色情詩人，都喜歡做這種詩，可以淸代王次回的《疑雲集》、《疑雨集》爲代表。才子佳人小說中的『有詩爲證』，也都是這一派的詩，例如淸末的《花月痕》、民國初年鴛鴦蝴蝶派小說《玉梨魂》和《雪鴻淚史》，都是。

但是，也有人以爲韓偓是個正人君子，不是溫飛卿那樣的輕佻才子。《香奩集》中的詩，表面上看雖然賦詠的是男女私情，但骨子裏卻是暗寫他和昭宗的君臣際遇。正如李商隱有些艷情詩是暗寫他和令狐綯的關係。這樣一講，《香奩集》就成爲一部有政治比興的詩史了。清代末年，有一位滿族詩人震鈞寫了一部《香奩集發微》，就運用這個觀點給集中所有的詩作了箋釋。他的依據是韓偓自己寫的《香奩集序》和詩題下所注寫作年月不合。韓偓在序文中說這一集詩的創作年代是『自庚辰、辛巳之際，迄己亥、庚子之間』。又說在這一期間，他『所著歌詩，不啻千首，其間以綺麗得意，亦數百首。往往在士大夫之口，或樂工配入聲律。』庚辰是懿宗大中十四年（公元八六〇年），韓偓才十七歲。庚子是僖宗廣明元年（公元八八〇年），韓偓三十七歲。這樣說來，這一集中的詩都是他早年的作品。但是，集中有《無題》四首，小序云：『余辛酉年戲作無題十四韻……』辛酉是昭宗光化四年，也是天復元年（公元九〇一年）。正是因誅劉季述有功，任翰林學士的時候。又有《裊娜》七律一首，題下注云：『丁卯年作。』丁卯是天祐四年，正是昭宗被弒，朱全忠篡位的時候。又有《深院》七絕一首，題下注云：『辛未年在南安縣作。』又《閨恨》七絕一首，注云：『壬申年在南安縣作。』又《閨情》七絕一首，注云：『辛未年在南安縣作。』這三首顯然都是晚年在福建的作品。爲什麼序文中說這一集詩是未登進士的早年所作，而實際並不如此？爲什麼還要在詩題下注明實際的創作年代？震鈞說：

序中所書甲子，大都迷謬其詞，未可盡信也。其謂庚辰、辛巳迄己丑、庚子之間者，考其時在僖宗之代，致堯方居翰林也①。而一卷《香奩》，全屬舊君故國之思，彼時安所用此？此未可信也。又所謂『大盜入關』者，似指黃巢矣，而云『遷徙不常厥居，求生草莽之中，豈復以吟詠爲意』。則益可疑。考巢賊亂後，致堯始貴，並無避地之舉，直至梁移唐祚，致堯始『不常厥居』，所謂『天涯逢故舊，避地遇故人』者，正此時也。然則『大盜』蓋指朱溫，而避地則貶濮州，貶榮懿，徙鄧州，南依王審知，均是也。故《無題》詩序云：『丙寅年在福建寓止』，可徵《香奩》一集，編於晚年梁氏既禪以後，故不得不迷謬其詞以求自全云爾。

又說：

今集中詩凡有年之可考者，均在貶官以後，即《翰林集》亦始於及第之年，未及第前，無一詩之在，抑又何也？以此見《香奩集序》乃故爲迷謬之詞，用以避文字之禍，都非正言也。

凡是仔細讀過一遍《香奩集》的人，對於這個疑問，恐怕都會與震鈞持相同的解釋。現在讓我們用這個觀點來看幾首詩：

懶卸頭

侍女動妝奩，故故驚人睡。

---

①按庚辰至庚子，皆在龍紀元年進士及第之前，時韓偓尙未入仕，震氏云偓『方居翰林』，誤。

那知本未眠，背面偸垂淚。
懶卸鳳皇釵，羞入鴛鴦被。
時復見殘燈，和煙墜金穗。

這是一首五言古詩，也可以說是仄韻拗體五言律詩。但《花草粹編》卻把它作爲《生查子》詞收入了。因爲音調與《生查子》詞完全一樣。蘇東坡有一首詩，題云：《送蘇伯固效韋蘇州》，詩云：

三度別君來，此別眞遲暮。
白盡老髭鬚，明日淮南去。
酒罷月隨人，淚濕花如霧。
後夜送君時，夢繞湖邊路。

這首詩既見於東坡詩集，又見於東坡詞集，亦題作《生查子》。東坡詩題所謂『效韋蘇州』，是指韋應物。查今本韋應物詩集中沒有這樣聲調的詩。很可能是韓致堯之誤。從這一個例子可知唐代末年，詩的句法音律已在變革，也是從詩發展爲詞的一個跡象。

震鈞在《懶卸頭》這首詩後，加了一個箋釋云：『一腔熱血，寂寞無聊，惟以眼淚洗面而已。』我以爲這樣箋釋，還沒有能透發出政治比興的意義，它仍然是在爲艷情詩作解釋。韓偓另外有一首詩，癸酉年在南安縣作的《閨情》，也用『懶卸頭』，可以引起我們的注意：

輕風的礫動簾鉤，宿酒初醒懶卸頭。
但覺夜深花有露，不知人靜月當樓。
何郎燭暗誰能詠，韓掾香焦亦任偷。
敲折玉釵歌轉咽，一聲聲入兩眉愁。

我以爲這兩首詩是同時所作，表現的也是同一類型的情緒。既然是在南安時所作，可知作者當時的情緒是正在考慮要不要到福州去依附王審知。『懶卸頭』即不想改妝，二詩中都表達了這個意志。『懶卸鳳皇釵，羞入鴛鴦被』這一聯的喻意最爲明白。『宿酒初醒』是指在長安時的政治生活，猶如酒醉一場。『時復見殘燈』一聯，分明是說唐代的滅亡。此外一些詩句，都是借婦女的閨情來表現自己的政治悲憤。因此，震鈞把《香奩集》比之爲屈原的《離騷》。他說：『《香奩》之所以同於《離騷》，以其同是愛君也。所以異於《離騷》，《離騷》以美人比君，《香奩》以美人自比。如第一首《幽窗》，純描怨女之態，而實以寫羈臣也。大抵致堯素性修潔，不肯同流合污，故以靜女自方。』這意見也說得很好，不過集中詩並不全是以靜女自比：

薦福寺講筵偶見又別

見時濃日午，別處暮鐘殘。
景色疑春盡，襟懷似酒闌。
兩情含眷戀，一餉致辛酸。
夜靜長廊下，難尋屐齒看。

這首詩是記述在薦福寺聽講佛經的席上偶然見到那個人，一見之後，隨即分別，因此作這首詩來抒寫惆悵的情懷。問題是：『偶見』的那個人是誰？如果是一個互相愛戀而不得在一起的女人，這首詩就是單純的艷情詩。但震鈞說：『此首在朝日作。唐代重行香，此是因行香晤及宰相，礙於朱全忠，不得盡言也。』他以爲這是在節日到佛寺裏去燒香的時候，偶然見到宰相，因爲礙於朱全忠，不敢多談，匆匆分別。這樣的『以意逆志』，當然也講得通。尾聯可以解釋爲見面後夜晚回憶，一切已成過去，連腳跡印都不可見了。這樣講，那麼這首詩又具有政治比興的意義了。

可能有人會懷疑，用這樣的方法來講詩，一切色情詩、香艷詩豈非都可以講作有比興意義的嗎？是的，我說，應當有這個疑問。不過，如果你多讀古詩，你就能發現，有些詩是作者確無比興寄托，而讀者可以用比興寄托來講解，並且以比興寄托的意義來引用這首詩。另一種詩是作者確有寓意，但文字表面不很看得出來，讀者也不容易體會作者的寓意，這就失之交臂了。《香奩集》中的詩，如果說是有比興意義，也止是以政治情緒比作戀愛情緒，或者如震鈞所說，以『閨情』爲『離騷』。這種比興，很難將一詩一句，實指其爲某人某事。震鈞的『發微』，止是根據詩中所表現的情緒，揣摩韓偓政治生活中某一時期所可能有的情緒。這樣的箋釋，可信的成分不大。我不同意震鈞的箋釋，但同意他對《香奩集》的評價，它不是簡單的艷情詩，作者是有所寄托的。序文所述與詩集中的自注顯有矛盾，這是作者有意暗示讀者的破綻。這是第一個論證。另一個論證是韓偓的另一首詩，題目是《思錄舊詩於卷上，淒然有感，因成一章》：

綴綴小詩鈔卷裏，尋思閒事到心頭。
自吟自淚無人會，腸斷蓬山第一流。

這首詩也是給讀者的暗示，如果作者自知這些詩是爲男女愛情而作，爲什麼還要恐怕無人懂得呢？末句『腸斷蓬山第一流』，又是一句雙關典故，既可以釋爲指天仙美女，又可以指翰林學士。所以震鈞在此詩後箋云：

此則忍俊不禁處。一生心事，和盤托出。蓋《香奩集》畫龍點睛處也。其云：『自吟自淚無人會』，蓋早知後人必以《香奩集》爲鄭衛之音矣。

這一段話，確是『發微』了。可是從元人《瀛奎律髓》以來，評論韓偓詩者，都沒有注意這一序一詩。胡震亨說：『韓致堯冶遊情篇，艷奪溫、李，自是少年時筆。《翰林》及南竄後，頓趨淺率矣。』（《唐音癸籤》）沈德潛說：『偓早歲喜爲香奩詩，後一歸節義，得風雅之正焉。』（《唐詩別裁》）此二家都以爲《香奩集》詩是韓偓早年作品，好像都沒有看見詩題下作者自注寫作年代。方虛谷說：『香奩之作，詞工格卑，豈非世事已不可救，姑流連荒亡，以抒其憂乎？』（《瀛奎律髓》）他知道這些詩不是早年作品，也知道是『抒憂』之作，但他不能認識這是詩人寓意之作，而以爲是詩人自寫其消極的醇酒婦人生活。這三家都不免使韓偓慨嘆『無人會』了。

胡震亨《唐音癸籤》中有一節說：

宋元編錄唐人總集，始於古律二體中備析五、七等言爲次。於是流委秩然，可得具論：一曰四言古詩，一曰五言古詩，一曰七言古詩，一曰長短句，一曰五言律詩，一曰五言排律，一曰七言律詩，一曰七言排律，一曰五言絕句，一曰七言絕句。

這是胡震亨記錄他所見宋元人編輯的唐人詩集的分類目錄，查唐代詩人自己或後輩所編詩集如韓愈、白居易、元稹等集，現在所見都是唐編舊本，止分古詩、律詩兩類。《香奩集》是韓偓自己編定的，其分類方法已經和胡震亨所說的一樣。但排律這個名詞，晚唐時還沒有產生，看來今本《香奩集》和《翰林集》都經宋元人重新編定，不是韓偓自編的原樣。

分類《香奩集》中果然有『長短句』一類，値得我們注意。長短句是五言、七言混合體的歌詩，有時還加一、二個三言句。這種詩體，盛唐時已有，李白稱爲『三五七言』。中、晚唐時，樂府、歌行、曲子詞，都用雜言，於是產生了『長短句』這個名詞，以概括當時一種新的詩體。但到了北宋，長短句這個名詞的概念已與詩分離，而屬於一種新興的文學形式，這種文學形式，在五代時稱爲曲子詞，到了南宋，才定名爲詞。

《香奩集》的分類，如果不是韓偓自己分的，至少也該是北宋初期人分的。在七言古詩之後，五言律詩之前，有『長短句』詩六首：《三憶》（三首）、《玉合》、《金陵》、《厭花落》各一首。揣測編者之意，似乎以爲這是五、七言古詩的變體。《三憶》三首，完全是擬作沈約的《六憶》詩，本該屬於樂府詩。《玉合》等三首的聲律就有些不古不今，非詩非詞。

玉合

羅囊繡，兩鳳皇；玉合雕，雙鸂鶒。
中有蘭膏漬紅豆，每回拈著長思憶。
長思憶，經幾春；人悵望，香氤氳。
開緘不見新書跡，帶粉猶殘舊指痕。

金陵

風雨瀟瀟，石頭城下木蘭橈。
煙月迢迢，金陵渡口去來潮。
自古風流皆暗銷，才鬼妖魂誰與招；

彩箋麗句徒已矣，羅襪金蓮何寂寥。

讀這兩首詩，再和溫庭筠的《菩薩蠻》對比，你就可以明白，長短句是晚唐的詩體，它傾向於作爲曲詞。曲子詞是按現成的曲調配合的詩，它的聲律逐漸與詩分化了。《玉合》或《金陵》如果是一個曲調名，有現成的曲譜，那麼它們也是曲子詞了。區別僅僅在此，因此，王國維輯錄韓偓的詞，把這兩首和《生查子》、《三憶》都收了進去。

一九八五年五月七日

93 韋莊：秦婦吟

韋莊，字端己，長安杜陵人。少年時，孤貧力學，才敏過人。乾寧元年（公元八九四年）進士及第，釋褐，授校書郎。李詢爲兩川宣諭和協使，辟莊爲判官。後受王建辟，掌書記。未幾，朝廷徵爲起居郎，王建上表留之。及王建自立爲蜀王，莊爲其心腹，首預其謀。凡郊廟之禮，冊書赦令，皆出莊手。以功臣授吏部侍郎同平章事。

韋莊應舉入京，正值黃巢攻破長安。僖宗李儇幸成都，莊困居長安。及黃巢兵敗，長安解圍，莊始得脫身東行，流離遷徙於汴洛、吳越、湖湘之間，作詩清麗飄逸，都是一些懷舊傷時的作品。及至成都，尋得杜甫所居浣花溪故址，雖蕪沒已久，而柱砥猶存，遂重作草堂居之。歿後，其弟藹編集其詩六卷，爲《浣花集》。

韋莊爲唐末五代詩人，與韓偓同爲唐詩的殿軍。他曾於光化三年（公元九〇〇年），選杜甫以下一百五十人之詩三百首，分爲三卷，以繼姚合所編《極玄集》，故名之曰《又玄集》。

韋莊非但是唐末詩人一大家，也是著名的詞人。他的詞，在文學史上與溫庭筠齊名，合稱『溫韋』。《花間集》第一卷即收溫、韋兩家詞，對北宋初的歐陽修、晏殊父子都有影響。

韋莊在東遊時曾作長詩一首，名曰《秦婦吟》，描寫他親身經歷的兵亂情狀。其中描寫了黃巢部隊佔領下的長安，有『內庫燒爲錦繡灰，天街踏盡公卿骨』這樣的詩句。這首詩當時流傳出去之後，引起了公卿貴族的憤怒。韋莊自己也很後悔，向各處去回收抄本。但這首詩已廣泛流傳，許多人家的屏風、幛子上都有寫這首詩的。直到他臨終時，遺囑上還寫著不許家裏掛《秦婦吟》幛子。後來韋藹給他編定詩集，也沒有把這首詩編進去。因此，從宋代以來，雖然這件事記錄在孫光憲的《北夢瑣言》中，但誰也沒有見過《秦婦吟》。

清光緒二十六年（公元一九〇〇年），甘肅省敦煌縣東南鳴沙山的石室中發現了許多古代寫本書籍及文件，爲英國人史坦因、法國人伯希和取去了一大半。經過整理，發現了幾個《秦婦吟》寫本，最早的是唐天復五年（即哀帝天祐二年，公元九〇五年）張龜的寫本。這時韋莊還在世。其次是貞明五年（公元九一九年）安友盛寫本，在韋莊死後不久。可知當時《秦婦吟》已流傳到遼遠的西域邊疆，無法回收了。這些寫本，由伯希和整理寫定全詩，寄回中國，於是我們才能見到這首失傳了一千年的叙事長詩。

韋莊是封建士大夫階級知識分子，他對黃巢的叛亂，當然持反對態度。他在這首一千三百六十九字的叙事詩中，描寫了黃巢佔領長安時，由於部隊紀律不嚴，人民遭受擄掠和姦淫的情況；但同時也譴責了關外許多節度使的擁兵自保，不肯出兵勤王。從全詩的傾向性看來，韋莊是兩邊都否定的。但主要的一面，還是在譴責黃巢，所以他稱之爲『賊』。

一九四九年以後，《秦婦吟》被大陸文藝界目爲反動詩，從來沒有人選錄。如果把抗日戰爭以後十多年的動亂時期一起算進去，這首詩又已失傳了五十年，今天要找一個印本也不容易了。長篇叙事詩，在中國詩壇上歷來就不多，《孔雀東南飛》以後，名篇屈指可數。作爲唐代篇幅最長的叙事詩，《秦婦吟》應當有它的文學史地位。爲了免得它再度失傳，所以我把《秦婦吟》作爲韋莊的代表作來講解。同時，也把它作爲我選講的最後一首唐詩。從個人的成敗來看，黃巢是個失敗的農民造反領袖；如果從他的影響來看，這一次造反畢竟加速了李唐政權的崩潰。從這一意義來認識《秦婦吟》，它是反映唐代政治現實的最後一首史詩。正如杜甫的《北征》是盛唐最後一首史詩。

秦婦吟

中和癸卯春三月，洛陽城外花如雪。
東西南北路人絕，綠楊悄悄香塵滅。
路旁忽見如花人，獨向綠楊陰下歇。
鳳側鸞欹鬢腳斜，紅攢翠斂眉心折。
借問女郎何處來，含嚬欲語聲先咽。
回頭斂袂謝行人：『喪亂漂淪何堪說。
三年陷賊留秦地，依稀記得秦中事。

君能爲妾解征鞍，妾亦與君停玉趾。』

這是全詩第一段，八韻十六句。起二韻寫這首詩中所叙事的時和地。時是中和癸卯春，唐僖宗中和三年（公元八八三年）。地是在洛陽城外。雖然花依然盛開，但四方路上都沒有行人，故此也沒有塵土揚起。下二韻是寫人。忽然看見楊樹下有一個女人在歇腳。她頭髮蓬鬆，鬢腳不整，皺緊眉頭，好像很悲哀的樣子。再下四韻八句是問答。詩人問姑娘從何處來。女郎在未回答之前，聲音先就抽咽了。後來回頭對行人（發問的詩人）說：『我是因爲兵亂流落到這裏來的。在長安城裏淪陷了三年，至今還記得那邊的情況。如果你願意爲我解鞍下馬，在這裏休息一會兒，我也可以爲你停留一會兒（講講我的經歷）。

黃巢於廣明元年（公元八八〇年）十二月攻入長安，自稱齊帝。唐僖宗倉皇逃難，奔入成都。中和三年三月，李克用擊敗黃巢兵，收復長安。這首詩開始就說明『中和癸卯春三月』，可知詩中叙述的女郎是在長安被困三年，直到黃巢敗逃後才脫身東行，漂泊到洛陽來的。這就是韋莊本人的遭遇，他正是在長安淪陷三年，而於癸卯三月離長安到洛陽的。因此，這首詩用女郎自述的口氣，這個女郎就代表了韋莊本人。

前年庚子臘月五，正閉金籠敎鸚鵡。
斜開鸞鏡嬾梳頭，閒憑雕欄慵不語。

忽看門外起紅塵，已見街中擂金鼓。
居人走出半倉皇，朝士歸來尚疑誤。
是時西面官軍入，擬向潼關爲警急。
皆言博野自相持，盡道賊軍來未及。
須臾主父乘奔至，下馬入門癡似醉。
適逢紫蓋去蒙塵，已見白旗來匝地。

這是第二段，八韻十六句。敘述廣明元年十二月五日黃巢部隊攻入長安的情況。從這一段起，都是女郎的自述。詩意仍以二韻四句爲一個小段落。詩人把這個女郎安排爲一位長安貴人家裏的侍女，那天早上，她打開了鏡盒，還懶得梳頭，獨自靠著欄杆，正在教鸚鵡說話，忽然看見門外塵土飛揚，接著又看見街上有人在打鼓。居民們都慌慌張張地走出門來，上朝辦公的官員都趕回家去，還懷疑他們所聽到的消息不確。這時西邊有官軍開拔進城，打算調到潼關去擔任警備。同時有消息傳來：博野軍（京都禁衛部隊）已頂住了敵人，敵人一時不會打進城。誰知道我家主人騎馬趕回來，人都如癡如醉了。他說：看見皇帝已逃難出城，敵人的白旗已經遍地都是，衝進城來了。

扶羸攜幼競相呼，上屋緣牆不知次。

南鄰走入北鄰藏，東鄰走向西鄰避。
北鄰諸婦咸相湊①，戶外崩騰如走獸。
轟轟崑崑乾坤動，萬馬雷聲從地湧。
火迸金星上九天，十二官街煙烘烔。
日輪西下寒光白，上帝無言空脈脈。
陰雲暈氣若重圍，宦者流星如血色。
紫氣漸隨帝座移，妖光暗射台星拆。

以上是第三段，八韻十六句，寫黃巢部隊入長安城的情況。前八句寫長安城中慌亂的景象，人民都互相呼喚著東躲西藏。屋子裏是一片混亂，門外是兵馬馳突。後八句寫皇城裏起火，夜晚的天象也顯示著災難。長安皇城中南北七條街，東西五條街，都是政府公署倉庫所在之處。宦者星共有四個，在皇位左右，這裏用以比喻擁護皇帝逃難的內官。皇帝所在之處，天上有一股紫氣，皇帝改換居住的地方，紫氣也跟著遷移。台星是三台星，共有六個，是三公的天象。現在台星也被敵人的妖光所拆散了。這是用以比喻朝廷官員都逃散了。

①相湊：相聚集。

家家流血如泉沸，處處冤聲聲動地。
舞妓歌姬盡暗捐①，嬰兒稚女皆生棄。
東鄰有女眉新畫，傾國傾城不知價。
長戈擁得上戎車，回首香閨淚盈把②。
旋抽金線學縫旗，才上雕鞍教走馬。
有時馬上見良人，不敢回眸空淚下。
西鄰有女眞仙子，一寸橫波剪秋水。
妝成只對鏡中看，年幼不知門外事。
一夫跳躍上金階，斜袒半肩欲相恥③。
牽衣不肯出朱門，紅粉香脂刀下死。
南鄰有女不記姓，昨日良媒新納聘。
琉璃階上不聞行，翡翠簾間空見影。

①暗捐：悄悄地拋棄。
②盈把：把，即握。盈把，即滿手。
③相恥：恥即辱，加以侮辱。

忽看庭際刀刃鳴，身首支離在俄頃。
仰天掩面哭一聲，女弟女兄同入井。
北鄰少婦行相促，旋解雲鬟拭眉綠①。
已聞擊托壞高門②，不覺攀緣上重屋。
須臾四面火光來，欲下迴梯梯又催。
煙中大叫猶求救，梁上縣屍已作灰。
妾身幸得全刀鋸③，不敢踟躇久回顧。
旋梳蟬鬢逐軍行，強展蛾眉出門去。
舊里從茲不得歸，六親自此無尋處。

以上是第四段，二十一韻，四十二句。寫婦女所受的兵災戰禍。先用四句作概括：家家流血，處

①眉綠：畫眉毛的青黛色。
②擊托：即敲打。托，同拓，有打擊之義。
③全刀鋸：從刀鋸之下保全了生命。

處冤聲，伎女小孩，都被拋棄。其次寫四鄰婦女受難殞命的情況。東鄰美女是被擄掠去的，西鄰、南鄰少女是被殺死的。北鄰少婦是被火燒死的。每人用四韻八句來敘述。最後三韻六句是女郎自述：她幸而沒有被殺，但被軍人脅迫，不敢不答應，止好梳理頭髮勉強展眉，裝出笑容，跟著他走。從此之後，歸不得家門，四親六眷也都斷絕來往。

一從陷賊經三載，終日驚憂心膽碎。
夜臥千重劍戟圍，朝餐一味人肝膾。
鴛幃縱入豈成歡，寶貨雖多非所愛。
蓬頭垢面眉猶赤①，幾轉橫波看不得。
衣裳顛倒語言異，面上誇功雕作字。
柏臺②多半是狐精，蘭省③諸郎皆鬼魅。
還將短髮戴華簪，不脫朝衣纏繡被。

---

①眉猶赤：西漢末，樊崇起兵反王莽，兵皆畫眉作紅色，當時稱『赤眉賊』。
②柏臺，御史臺，御史大夫的公署。
③蘭省：秘書省，又稱蘭臺、蘭省。有校書郎等郎官。

翻持象笏①作三公②，倒佩金魚③爲兩史④。

朝聞奏對入朝堂，暮見喧呼來酒市。

以上是第五段，九韻十八句。女郎被迫嫁給黃巢部下的軍人之後所看到的新貴人的種種情況。開始六句是叙述自己的生活。自從落在黃巢軍人手中，已有三年，整天都是又驚又憂，夜晚睡在戒備森嚴的武器包圍裏，每天吃的止有一味被殺的人的心肝。雖然與那軍人同睡，那裏有什麼歡愛。金銀寶物雖然搶來了不少，可不是我所愛的。因爲那個軍人蓬頭垢面，一副『赤眉賊』的樣子，幾次三番的看，總是看他不順眼。從此以下五韻十句，描寫黃巢新朝廷中的文官。這批人衣裳都穿不整齊，說話多是外地口音，立過功勛的人，臉上都刺字雕花。柏臺、蘭省裏的官員，盡是一些狐精、鬼魅。頭髮沒有留長，已戴上了簪子，晚上睡覺，連朝衣都不脫下，就裹在繡花被子裏了。作三公的人，連朝笏都不會捧，常常是翻轉捧的；作兩史的人，連金魚都顚倒掛的。這些人，早晨去上朝奏事，下午傍晚都哄到酒店裏去酗酒。

---

①象笏：象牙做的朝版。

②三公：大司馬、大司徒，大司空。

③金魚：三品以上官員佩帶金魚。

④兩史：柏臺、蘭省，合稱兩史，謂御史大夫與御史中丞。

一朝五鼓人驚起，叫嘯喧爭如竊議。
夜來探馬入皇城，昨日官軍收赤水。
赤水去城一百里，朝若來兮暮應至。
凶徒馬上暗吞聲，女伴閨中潛色喜。
皆言冤憤此時銷，必謂妖徒今日死。
逡巡走馬傳聲急，又道官軍全陣入。
大彭小彭①相顧憂，二郎四郎②抱鞍泣。
泛泛數日無消息，必謂軍前已銜璧③。
簸旗掉劍卻來歸，又道官軍悉敗績。

以上是第六段，九韻十八句。寫長安城中人民所知的唐軍與黃巢軍戰爭情況。有一天，黎明時，城裏人民都驚醒起身，大家在叫喊，或竊竊私議。據說昨夜有騎馬的探子進入皇城，報告官軍已收復了赤水鎮。赤水鎮在長安城西渭南縣東，離長安只有一百多里。官軍如果早晨出發，晚上應當可以到

---

①大彭：時溥，小彭：秦彥。二人都是彭城（今徐州）人。
②二郎、四郎：二郎即黃巢，因爲他排行第二。四郎是他的弟弟黃揆。
③銜璧：帝王兵敗投降，向勝利者銜璧請罪。軍，指官軍。

達長安。聽了這個消息，騎馬的凶徒們都喪氣吞聲，被他們霸佔的女伴們都在屋子裏偸偸地高興。大家以爲這些妖徒今天必死無疑，各人的冤憤可以銷氣了。過了一會兒，又有人騎馬奔來傳報消息。說大隊官軍已經進城。這時，黃巢部下的將軍大彭小彭都在擔憂，黃巢和他的兄弟也上馬哭泣了。可是，轉眼過了幾天，毫無消息。大家以爲黃巢已向官軍投降。誰知道他們又揮旗舞劍，高興地回來，還說官軍已吃了個大敗仗。這一段叙述的歷史事實是中和二年二月涇原大將唐弘夫大敗黃巢部將林言於興平，同時王處存率兵二萬人攻入京城，受到百姓的歡迎。黃巢率領部下逃去。豈知王處存軍隊紀律更壞，軍士入城後，大肆姦淫搶劫。黃巢軍從灞上分幾路反攻。王處存軍隊倉皇潰亂，迅即敗退。黃巢收復長安，惱怒百姓歡迎王處存，把所有的青年壯丁都殺死，街坊上流血成渠。

四面從茲多厄束，一斗黃金一斗粟。
尙讓①廚中食木皮，黃巢机上刲人肉。
東南斷絕無糧道，溝壑漸平人漸少。
六軍②門外倚僵屍，七架③營中塡餓殍。

---

①尙讓：是黃巢的宰相。
②六軍：左右羽林軍，左右龍武軍，左右神策軍，稱爲六軍，都是保衛京師的禁軍。
③七架：未詳。《長安志》有七架亭，在禁苑中，去宮城十三里。恐怕不是此詩所云七架營。陳寅恪以爲『架』字乃『萃』字之誤。引《穆天子傳》中『七萃之士』以解釋此詩。亦恐非是。因此詩中名物詞語皆不用古典。且所有的寫本都沒有作『萃』字的。

長安寂寂今何有，廢市荒街麥苗秀。
採樵砍盡杏園花，修寨誅殘御溝柳。
華軒繡轂皆銷散，甲第朱門無一半。
含元殿上狐兔行，花萼樓前荆棘滿。
昔時繁盛皆埋沒，舉目淒涼無故物。
內庫①燒爲錦繡灰，天街②踏盡公卿骨。

以上是第七段，十韻二十句。寫官軍敗退，黃巢收復長安後的情況。官軍雖然退出長安，但仍把長安四面包圍著，阻止了黃巢的糧食運輸。城中米價飛漲，食物供應困難。尙讓家的廚房裏止有樹皮可吃，黃巢的餐桌上供應的惟有割下來的人肉。人民一批一批地餓死，埋葬在溝壑裏，所以墳多而人少了。禁衛軍的營門外靠著餓死僵屍，營裏也滿是死人。整個長安都城，冷冷清清的一無所有，八街九市，過去的繁華的地方，現在已長出了麥苗。杏園中的花木，已被人砍伐去做柴火；御溝兩旁的楊柳，也因爲軍人修寨子而被砍伐光了。一切華美的屋宇、錦繡、絲轂，都已銷散；朱門甲第的富貴大

①內庫：內藏庫，唐太宗在禁城內置庫，後世皇帝以爲私有庫藏。
②天街：禁城內的街道。

家已破敗了一大半。皇宮裏的含元殿、花萼樓，已是荆棘叢生，讓狐狸野兔去游行了。總而言之，往昔的繁盛都已消失；滿眼所見，已不見舊有的人物。皇宮貯藏珍寶錦繡的內庫，已燒成一大堆灰燼；在天街上行走，脚下踏到的都是公卿貴族的骸骨。

來時曉出城東陌，城外風煙如塞色。
路旁時見遊奕軍，坡下寂無迎送客。
霸陵東望人煙絕，樹鎖驪山金翠滅。
大道俱成棘子林，行人夜宿牆匡月。

以上是第八段，四韻八句。從此以下，寫女郎走出長安後一路所見所聞。這四韻一段是個序引。她說：那天早晨走出東門，城外的風景宛如邊塞上一般。一路上常常看見有軍人在巡邏；山坡下也不像太平時候那樣有接送客人的熱鬧。東望霸陵，不見人煙。驪山上雖然還有茂盛的樹木，但金碧輝煌的臺殿樓閣，已經不見了。過去的車馬大道，已成爲荆棘叢林；路上沒有宿店，旅行人到了夜晚，止好露天睡在斷牆脚下。

明朝曉至三峰路①，百萬人家無一戶。

①三峰路：三峰，即華山。三峰路，即去華山的大路。

破落田園但有蒿，摧殘竹樹皆無主。
路旁試問金天神①，金天無語愁於人。
廟前古柏有殘蘗，殿上金爐生暗塵。
一從狂寇陷中國，天地晦冥風雨黑。
案前神水咒不成，壁上陰兵驅不得。
間日徒歆奠享恩，危時不助神通力。
我今愧恧拙爲神，且向山中深避匿。
寰中②簫管不曾聞，筵上犧牲無處覓。
旋教魔鬼傍鄉村，誅剝生靈過朝夕。
妾聞此語愁更愁，天遣時災非自由。
神在山中猶避難，何須責望東諸侯。

以上是第九段，十二韻，二十四句。寫女郎在第二天繼續東行至華陰縣的情況。她一路行去，止

---

①金天神：華山之神。

②寰中：此寰字不可解，英人嘉爾斯引《正字通》解作「宮周垣也」，即殿庭的圍牆。然則「寰中」就是「廟內」。

見人煙寥落，田園破敗，竹樹失去主人，都被摧殘得不成樣子。走過華山神廟，就進去問問山神。山神說，我比你還憂愁得凶，簡直無話可說。廟前古柏樹都被砍光，僅餘殘蘖；殿上的銅香爐也已黯然失色，積滿灰塵。自從黃巢起兵造反以來，天昏地暗，風雨烏黑。香案上的神水也失去法力，詛咒不靈了；壁畫上的陰兵陰將，也不會顯神通了。平時受人民的祭祀供奉，現在危難的時候，卻沒有神通的能力幫助人民。我做神實在不行，心裏非常慚愧；止好躲避在深山裏。現在我的廟裏已沒有簫管之聲，也沒有人來獻三牲給我吃。我沒有辦法，止好派魔鬼到村子裏去，害死幾個男女過日子。女郎聽了山神的話，愈加憂愁，原來這是天降災難，神與人都無辦法。神還要到深山中去避難，那就不必責怪東方的許多掌兵的將軍了。

這一段是詩人借金天神的話來諷刺潼關以東那些節度使的。他們擁兵自保，對黃巢軍沒有辦法，但卻縱容部下，虐害百姓。正如金天神的失去神通，靠手下的小鬼去禍害老百姓一樣。東諸侯，主要是淮南節度使高駢。由於他的失策，黃巢軍隊才能渡淮而北，長驅直入東、西京。

前年又出楊震關，舉頭雲際見荆山。
如從地府到人間，頓覺時清天地閒。
陜州主帥忠且貞，不動干戈惟守城。
蒲津主帥能戢兵，千里晏然無戈聲。

朝攜寶貨無人問，暮插金釵惟獨行。

以上是第十段，止有五韻十句。從此以後，寫女郎出潼關以後情況，這一小段是過渡性質的交代。楊震關即潼關。楊震是東漢時一位大學者，華陰縣人，被稱爲『關西孔子』。女郎一出潼關，就望見荆山，進入虢州地界。頓時覺天地清閒，一片太平景象，如同從地獄裏來到人間。陝州主帥指虢陝觀察使王重盈，蒲津主帥指河中節度使留後王重榮。兄弟二人，當黃巢軍隊攻破潼關時，都止是上一個奏表，報告軍情，自己卻並不出兵迎擊，關起城門自保。詩人借女郎的話，說他們『忠且貞』、『能戢兵』。一個是『不動干戈能守城』，一個是『千里晏然無戈聲』，都是諷刺話。但在女郎的心目中，這裏是太平世界。清早，身上帶著珍寶，夜晚，頭上插著金釵，孤身行走，都沒有強徒來搶劫。

此段第一句『前年』二字恐怕有誤。從上下文看來，似乎應當是『前天』的意思。但各個抄本都作『前年』，不便妄改，姑且照抄。

明朝又過新安東，路上乞漿逢一翁。

蒼蒼面帶苔蘚色，隱隱身藏蓬荻中。

問翁本是何鄉曲，底事①寒天霜露宿。

①底事：何事，爲什麼。疑問語。

老翁暫起欲陳詞，卻坐①支頤仰天哭。
鄉園本貫東畿縣②，歲歲耕桑臨近甸。
歲種良田二百廛，年輸戶稅三千萬。
小姑慣織褐絁袍，中婦能炊紅黍飯。
千間倉兮萬斯箱，黃巢過後猶殘半。
自從洛下屯師旅，日夜巡兵入村塢。
匣中秋水拔青蛇，旗下高風吹白虎。
入門下馬若旋風，罄室傾囊如捲土。
家財既盡骨肉離，今日垂年③一身苦。
一身苦兮何足嗟，山中更有千萬家。
朝飢山草尋蓬子，夜宿霜中臥荻花。

以上是第十一段，十四韻，二十八句。寫女郎在新安縣東遇到一個老翁。老翁自述其所受災難，

①卻坐：退坐。
②東畿：畿是京都四周的地區。懷、鄭、汝、陝四州爲東畿，設東畿觀察使。
③垂年：各個寫本均同，但不可解，大約是垂老之意。

官軍對人民的搶劫搜括比黃巢更凶。女郎說：在新安東郊，因爲找茶水喝，遇到一個老人家，臉色青蒼，躲藏在蘆花堆裏。她問老人家是哪裏人？爲什麼在這麼大冷天露宿在蘆花堆裏？老人想回話，又坐下來兩手扶頭，仰天大哭。後來他說：我是本地人，家有良田二百廛，每年要繳稅三千萬。家裏小姑娘會織綢子做袍褂，中年婦女能做紅黍飯。家中有糧倉千間，儲糧一萬箱。黃巢軍隊過後，還剩一半。自從官軍開到洛陽，日日夜夜有巡邏兵到村塢裏來騷擾。他們拔出了劍，揮舞著白虎旗，像一陣旋風似地下馬衝進門來，把我家裏搶得一掃精光。家裏既已一無所有，止好骨肉分散，各自去謀生路。我現在是一個孤苦老頭，可是山裏還有幾千萬家難民，在吃草根，露天睡在蘆花堆裏。

這一段詩中所有數字，都是誇大了的，不可認眞。『年輸戶稅三千萬』，羅振玉校本改爲『三十萬』。周雲青注本依羅改本，亦作『三十萬』。他還引用《通典》，唐代上戶丁稅，每年繳十文。三千萬就該有三百萬戶，這個數字似乎過多。於是改爲『三十萬』，就只有三萬戶，差不多了。其實唐代戶口稅制度，先根據貧富差別來定每個丁男的人頭稅。上戶是富戶。每年繳稅十文，是一個上戶丁男應繳的稅額。如果家有三丁，每年就得繳稅三十文。再說，東畿一縣，也不會有三萬戶之多。三千萬果然過多，三十萬也還是誇大的。老人家有『良田二百廛』，一廛是一百畝，二百廛就該有二萬畝。如果這個老人是擁有二萬畝地的大地主，他決不會流落到骨肉分散，自己睡在蘆花被裏。還有，躲在山裏的難民也不會有千萬戶。

讀唐詩，對於這種用數字的描寫方法，千萬不宜用數學觀念去和詩人算賬。李白的『白髮三千丈』，就使改爲三尺，也還嫌長。羅振玉是個通人，也能作詩，應該懂得唐代詩人的習慣，可是他居然不顧校勘學的嚴謹原則，自作主張，把『三千萬』改爲毫無根據的『三十萬』。按照詩的聲律，這個字必須用平聲字，作者韋莊懂得聲律，所以他用『三千萬』。如果這個地方該用仄聲字，他肯定會用『三十萬』。羅振玉這樣一改，周雲青還在注文中認爲『似是』，這就非但暴露出他們都不懂聲律，而且還侮辱了作者韋莊，使他表現爲連平仄和諧都不懂的詩人了。

不但是數字的誇張，就是人名地名，唐代詩人也都是作爲修辭方法使用的。王之渙的『黃河遠上白雲間，一片孤城萬仞山』，是極有氣魄的名句，可是有人偏要用地理觀念來妄改。有的說：黃河怎麼會上到白雲裏去？止有黃沙，堆得高，才能『遠上白雲間』。有的說：黃河離涼州城有一千多里，作《涼州詞》就不該用『黃河』。其實，能讀詩的人，知道詩人是在寫塞外風光，他把幾個特徵結合在一起：浩汗的黃河、孤城、高山、羌笛、沒有春意。詩人並不專詠涼州，而富於地理觀念的讀者就感到不對頭了。如果碰到一個富於數學觀念的讀者，他一定會把『萬仞山』也改一改。因爲一仞是八尺，萬仞就有八萬尺，涼州城外那有八萬尺的高山？

妾聞此老傷心語，竟日闌干①淚如雨。
出門惟見亂梟鳴，更欲東奔何處所。

①闌干：縱橫。

仍聞汴路①舟車絕，又道彭門②自相殺。
野色徒銷戰士魂，河津半是冤人血。
適聞有客金陵至，見說③江南風景異。
自從大寇犯中原，戎馬不曾生四鄙④。
誅鋤竊盜若神功，惠愛生靈如赤子。
城濠固護敎金湯⑤，賦稅如雲送軍壘。
奈何四海盡滔滔，湛然一境平如砥。
避難徒爲闕下人，懷安卻羨江南鬼。
願君舉棹東復東，詠此長歌獻相公。

以上是第十二段，十一韻，二十二句。這是全詩的結束，詩人仍借女郎的話，說明了此詩的創作

①汴路：到開封去的路。
②彭門：即彭城（徐州）。
③見說：『見』字作『被』字解。見說，即被告知。
④四鄙：四郊。
⑤金湯：金城湯池。比喻堅固的城池。金城，猶言銅牆鐵壁。湯池，沸水的城濠。敎字不可解，疑有誤。

動機。女郎聽了老人的傷心話，整天哭泣，淚落如雨。出門惟見梟鳴，不見人跡。想再往東走，不知到何處是好。聽說去開封的路斷了；又聽說彭城在內亂。郊野、河邊，全是死屍。恰好有人從金陵（南京）來，說江南的風景大不相同。自從黃巢軍隊進犯中原以後，江南倒很太平，四郊沒有戰事。那邊的主帥像有神力似的鎮壓盜賊，惠愛百姓如同子女一樣。那邊城池堅固，攻打不下；各處繳納到軍營中來的賦稅多得很。當四海八方都亂得如洪水滔滔的時候，獨有江南一塊土地卻平坦如砥。我是個京城裏的人，現在卻逃難在異鄉；因爲渴望安全，反而羨慕做江南的鬼。我希望你趕快乘船向東去，把這首長詩獻給江南的相公。

前半段是叙述黃巢軍隊退出長安後，騷擾洛陽、開封一帶的情況。後半段頌揚江南的太平安定。詩結句所謂『相公』，是指鎮海軍節度使同平章事周寶。周寶駐守潤州（鎮江），保持了江南的太平。韋莊從長安出來，在洛陽住了一時，就到江南。這首詩大概是他爲了獻給周寶而作，因此以頌揚周寶爲結束。

這首詩大體上雖然寫黃巢軍隊的姦淫燒殺，但從老人的口中吐露出來的，卻是官軍比黃巢更壞。《北夢瑣言》說：這首詩因『內庫燒爲錦繡灰，天街踏盡公卿骨』兩句而爲公卿所驚訝，恐怕也並不全是爲此，可能還是觸怒了那些『東諸侯』。

一九八五年五月十五日

94 晚唐詩餘話

晚唐詩人亦不少，我止選講了十七家，僅是走馬看花。馬戴的詩，嚴羽評爲晚唐第一。杜荀鶴詩，宋人以爲高古淳樸，賀黃公則斥之爲粗鄙陋劣。曹鄴詩罕有稱道，而鍾伯敬極爲讚賞。這些都是論晚唐詩可以研究的問題，本書亦無暇涉及。楊升庵說：『晚唐之詩，分爲兩派：一派學張籍，則朱慶餘、陳標、任蕃、章孝標、司空圖、項斯其人也；一派學賈島，則李洞、姚合、方干、喻鳧、周賀其人也。其間雖多，不越此二派。學乎其中，日趨於下。』（《升庵詩話》卷十一）這晚唐兩派之說，頗爲文學史家採用。我以爲如此分法，尙未探源。所謂張籍一派，應溯源於大曆詩人之錢起、郎士元；賈島一派，應溯源於二孟（浩然、東野）。而這兩派詩人又彼此出入於王維、韋應物。此外，另有一派起於王建、李賀、張祜，則溫庭筠、李商隱、杜牧、施肩吾、羅隱、韓偓諸家是也。雖然成就有高下，風格有雅俗，總是梁、陳餘韻的復興，與張籍、賈島不同源流。

晚唐人多致力於五、七言律詩，作樂府歌行者極少，作古詩者更少。故後世人所謂晚唐體，指的都是五、七言律詩。楊升庵又論晚唐五言律詩云：『五言律起結皆平平，前聯俗語十字一串帶過。後聯謂之「頸聯」，極其用工。又忌用事，謂之「點鬼簿」，惟搜眼前景而深刻思之，所謂「吟成五個字，拈斷數莖鬚」也。』這樣，雖然簡單化，但已指出了晚唐體的特徵。晚唐詩人，才學都不高，情趣也不夠豐厚，幾乎是爲作詩而作詩。風雅比興，就其總體來說，都不及中唐詩人。他們平常總在一聯一句中求工穩貼切。得到一聯佳句，便可拼湊成詩，故大多數詩人，僅有佳句而無名篇。後世人論晚唐詩，也往往都止能賞其佳句。何文煥在《唐詩消夏錄》中評中、晚唐五律云：

> 五律至中、晚，法脈漸荒，境界漸狹。徒知鍊句之工拙，遂忘構局之精深。所稱合作，亦不過有層次、照應、轉折而已。求其開闔跌宕，沉鬱頓挫如初、盛者，百無一二。然而思深意遠，氣靜神閒。選句能遠絕夫塵囂，立言必近求乎旨趣。斷章取義，猶有風人之致焉。蓋初、盛則詞意兼工，而中、晚則瑕瑜不掩也。

這一段話前半指出中、晚唐五言律詩的缺點，後半則指出其長處。但此評以中、晚唐詩相提並論，我以爲頗不公允。中、晚唐詩，差距甚遠，未可一概而論。至少，所謂中唐，應從貞元以後的詩人說起，如姚合之流。若大曆十才子所作，詞意兼工者俯拾即是，尙無此病。至於說晚唐佳句，『猶有風人之致』，我亦不以爲然，所謂『風人之致』，是指一首詩可以反映民風。這應當指全篇而言。從一聯一句中求風人之致，恐怕無此可能。

宋代初期，楊億、劉筠等作詩專學溫庭筠、李商隱，稱西崑體。又有惠崇、希晝等九個和尙，作詩專學許渾、方干，有詩集盛傳於當時，稱《九僧詩》。這是晚唐詩給宋初的影響。歐陽修對這兩種傾向都不滿意，對西崑體則『患其多用故事，語僻難曉。』對九僧詩則說他們『區區於風雲草木之類』。在他的影響之下，晚唐詩漸被冷淡。蘇東坡、黃庭堅學杜甫、韓愈，詩風一變。尤其是黃庭堅，以他的盤空硬語，創立了江西詩派，稱霸於北宋詩壇。

到了南宋，江西派的詩流於艱澀拙樸，於是又有人回過頭來學晚唐詩，韓駒曾說：『唐末詩人雖格致卑淺，然謂其非詩不可；今人作詩，句語軒昂，止可遠聽，而其理則不可究。』（《詩人玉屑》十六引《陵陽室中語》）所謂『今人作詩』，就是指江西派中的詩人。奇怪的是，韓駒自己也屬於江西詩派，他這幾句話，無異是自我否定。

楊萬里早年也是作江西派詩的，到晚年時卻轉變了。他有《讀笠澤叢書》詩三首，其一云：

笠澤詩人千載香，一回一讀斷人腸。
晚唐異味同誰賞，近日詩人輕晚唐。

於是便出現了『永嘉四靈』①和『江湖派』②詩人。這一群詩人都學賈島、姚合，做五言律詩。又有葉水心爲他們作理論的宣揚，南宋後半期詩壇，幾乎都以晚唐體爲宗。江西詩派消失了。

---

①溫州人趙師秀號靈秀，翁卷號靈舒，徐照號靈暉，徐璣號靈淵，稱『永嘉四靈』，成爲南宋一個詩派。

②南宋時，杭州書商陳起刻印《江湖群賢小集》，收劉克莊、姜夔、葛天民等數十家的詩集。這些人稱爲『江湖詩人』，亦成一派。

但同時嚴羽作《滄浪詩話》，卻竭力提倡盛唐。他有一段話專論宋初以來的詩風：

然則近代之詩無取乎？曰：有之。吾取其合於古人者而已。國初之詩，尚沿襲唐人。王黃州學白樂天，楊文公、劉中山學李商隱。盛文肅學韋蘇州。歐陽公學韓退之古詩。梅聖俞學唐人平淡處。至東坡、山谷，始出己意以爲詩，唐人之風變矣。山谷用功，尤爲深刻。其後法席盛行，海内稱爲江西宗派。近世趙紫芝、翁靈舒輩，獨喜賈島、姚合之詩，稍稍復就清苦之風，江湖詩人多效其體，一時自謂之唐宗。不知只入聲聞辟支之果，豈盛唐諸公大乘正法眼者哉？

這一段話是最簡明的宋代詩史。嚴羽以禪學論詩。主張作詩當以盛唐爲法，是正宗的大乘禪；晚唐詩還止是略得皮毛的小乘禪。

嚴羽是宋末人，他的理論，在當時未有顯著的影響。元人作詩，雖然以唐詩爲宗，也還沒有在初、盛和中、晚之間有所偏重。因爲金、元詩人如王若虛、元好問諸人，論詩的對象首先要抨擊江西詩派。

到了明代，前後七子都標榜盛唐詩法，以此爲學詩的最高境界。嚴羽的《滄浪詩話》，至此才發生影響。從明初到隆慶、萬曆年間，詩人們一致推崇盛唐。可惜明代詩人之所以主張『詩必盛唐』，是從復古運動出發，他們的詩都是盛唐的模仿作品，藝術的創造性非常稀薄，有『泥美人』之誚。後來，袁宏道等兄弟三人崛起於公安，論詩主白居易、蘇東坡，以流暢平易爲上，號稱『公安派』。接著，鍾惺、譚元春起於竟陵，又很不滿於公安三袁詩的便捷淺俚，提出幽深孤峭的標準以論詩，是爲

『竟陵派』。『公安』、『竟陵』兩派都攻擊前後七子的『詩必盛唐』論。在創作實踐上，『公安派』走了宋詩的道路；『竟陵派』則走了晚唐的道路。鍾惺選定《唐詩歸》，屢次爲晚唐詩辯護、翻案，於是晚唐詩又一度時行起來。然而好景不常，到陳子龍、錢謙益出來，都提倡盛唐，學其雄渾高華的風格，黃鍾大呂的聲調。於是『竟陵派』的議論，一蹶不振。晚唐詩從此消失了它們曾經光榮過的地位。

一九八五年五月十三日

95 唐女詩人

詩出於歌，歌起於民間。民歌的開始，很可能屬於婦女的勞動歌謠。從獨唱而至於互唱，由互唱而至於對唱，再由對唱而至於問答，於是男女詩人都有了。《詩經》中如《王風·伯兮》，《鄭風》中的《山有扶蘇》、《狡童》、《將仲子》，都是婦女所作，可惜沒留下姓名。五言詩起於漢代，已有好幾位女詩人見於著錄。竇玄妻的《古怨歌》、蘇伯玉妻的《盤中詩》、烏孫公主的《悲愁歌》，卓文君的《白頭吟》，都是好詩。蔡文姬的《悲憤詩》，作五言長篇，更是杜甫《北征》詩的泉源。魏、晉以下，歷代都有女詩人，或則見於著錄而詩與名俱亡，或則詩存而名佚。但鍾嶸《詩品》中，還論到漢代的班婕妤、徐淑、齊代的鮑令暉、韓蘭英，這幾位女詩人的作品現在都不可見，但她們的姓名能列入《詩品》，可知當時必有傑出的作品流傳。

到了唐代，男詩人既多，女詩人也並未示弱。不過由於封建社會禮教的約束，女詩人的才名，不出於閨閣。她們又不能應進士試，用不到行卷。她們沒有社會生活，作詩也限於閨中抒情，因而極少流傳出去，到後世便如雲煙之消散。但是即使如此，《全唐詩》中還保存了幾百首女詩人的作品，仍然反映著這是清代以前女詩人最多的時代。

唐代女詩人中最著名而作品現存最多的止有三家。李治、薛濤、魚玄機。李治和魚玄機都是女道士，薛濤是成都妓女。她們都有社會交際生活，常與文人唱酬，因此她們的詩流傳最多。三人中，李治的時代最早，我已在講中唐詩的時候講過她的詩。薛濤年齒略遲於李治，其聲名卓著時期，大約在貞元至元和年間。她的詩相傳有五百首。南宋時還流傳著她的《錦江集》五卷，可是現在僅存八十九首了。

薛濤的詩大多是七言絕句，但其壓卷①之作卻是一首五言律詩：

酬人雨後玩竹

南天春雨時，那鑒雪霜姿。
衆類亦云茂，虛心能自持。
多留晉賢醉，早伴舜妃悲。
晚歲君能賞，蒼蒼勁節奇。

①古人編詩集，把他最好的一首編在卷首第一篇，稱爲『壓卷』，這個名詞，用到後世，泛指全集中最好的作品，不一定編在卷首。

有人雨後賞竹，做了一首詩，寫給薛濤看。薛濤也做了一首，以酬答他的好意。『酬』不是『和』。和是要用原韻的。酬不必用原韻。但既然稱爲『酬』，詩意便應當照應原作。薛濤一看原作，便想到竹的特徵表現在冬季，故古人以松竹梅爲歲寒三友。現在此人卻在雨後玩竹，便不是恰當的時候。所以她第一聯便說：你在南方的春天雨後玩竹，那裏能看到它不畏霜雪的姿態呢？接下去說：但是，春天是草木茂盛的季節，在這時候玩竹，至少可以看到它能以虛心自持，也就不同於『衆類』了。這一聯的對法比較靈活，從詞性的角度看它，似對非對，屬於假對一類，或曰假借對。從意義的角度看，這是一聯流水對，或曰十字對。因爲詩意不是兩句平列，而是以十字爲一意的。頷聯是詠竹。晉代有山濤、王戎等七位高士在竹林中飲酒賦詩，稱爲『竹林七賢』。故詩曰『多留晉賢醉』。舜帝南巡，死於蒼梧。他的二位妃子在竹林中哭泣，眼淚滴在竹竿上，成爲湘妃竹，又名斑竹。故詩曰『早伴舜妃悲』。因爲七賢的時代在舜妃之後，故用『早』字，以點明時代。結尾一聯照應了起聯。大意說：你如果能到年終時候再來玩竹，就可以見到它不畏霜雪的勁節了。這首詩對原作者大有譏諷之意，但說得非常委婉。詩意既佳，句法亦蒼老，在中唐五言律詩中，可以列爲佳作。

魚玄機詩一卷，四十九首，現在還有一個南宋刻本。此外，《文苑英華》載魚玄機《折楊柳》一首，不見於集中，故現存詩五十首。她的詩以五、七言律詩爲多，功力在薛濤之上，與李冶不相上下。

贈鄰女

羞日遮羅袖，愁春懶起妝。
易求無價寶，難得有心郎。
枕上潛垂淚，花間暗斷腸。
自能窺宋玉，何必恨王昌。

這是一首極其大膽的詩，封建社會中的女詩人，能在詩中表現這樣風流浪漫的思想情感，並不很多。但在唐代，卻不止魚玄機一人。詩題曰《贈鄰女》，看詩意，大概這位鄰家姑娘是被一個薄情男子拋棄了的。魚玄機寫這首詩安慰並鼓勵她。第一聯寫這個姑娘的生活，從側面表現她的情緒。怕見陽光，故以羅袖遮掩太陽；早晨懶得起來梳妝，因爲有春愁。愁字的說明，就在下面第二聯：『易求無價寶，難得有心郎。』說得多麼沉痛！在這個社會中，男子幾乎個個都是無情無義的，要找一個『有心郎』，比找一件無價之寶更爲困難。這個鄰家姑娘，因爲有這樣深刻的春愁，所以她睡著時也偷偷地哭泣，在花園裏也無心賞花，而暗自傷心。魚玄機用這一聯來具體描寫了鄰女的春愁。但魚對這位鄰女的止會傷心，止會暗哭，雖然非常同情，卻覺得她未免太懦怯了。對於這樣一個處於被動地位的弱女子，魚要鼓勵她爭取主動，創造自己的生活。魚在結尾一聯中，把宋玉比喻爲『有心郎』，把王昌比喻爲負心郎①，即抛棄鄰女的那個男子，而組織成一聯爲婦女爭取自由和獨立的響亮口號：『自能窺宋玉，何必恨王昌。』

剛才我說，在唐代，寫這樣大膽的詩的女詩人，不止魚玄機一人。現在就舉一首李冶的六言詩：

八至

至近至遠東西，至深至淺淸溪。
至高至明日月，至親至疏夫妻。

在封建宗法制度中，夫妻是五倫之一，又是三綱之一。夫爲妻綱，妻是從屬於夫的。夫妻的愛情，不是雙方均等，而是由宗法制度分配的。夫對妻，主權大於愛情；妻對夫，義務大於愛情。由封建婚姻制度結合的夫妻，他們之間，即使雙方都有愛情，這種愛情也是由封建制度維持著的。李季蘭看穿了這種夫妻關係，用一句六言詩就揭發了這種夫妻關係的本質：表面上是最親密，實質上是最疏淡。前面三句，都是比喻，用來證明『至親至疏』的辯證觀點。

---

①宋玉有《登徒子好色賦》，講到有一個東鄰姑娘，在牆頭上偸看了他三年。魚玄機詩用此典故，寓意要鄰女自己去找愛人。王昌，魏晉時人，風神俊美，爲時人所賞。但無薄倖事。此詩僅爲借用而已。

這首詩，豈不是也可以說是非常大膽的作品嗎？

武則天是一位傑出的女政治家。她執政二十年，有功有過，互不相掩。我們不在這裏評論她的政治，只限於賞鑑她的才華。她也是一位傑出的詩人，所作詩文很多。《舊唐書·經籍志》著錄她有《垂拱集》一百卷，《金輪集》十卷，可惜現在僅存詩四十六篇，在《全唐詩》中。

武后有《九日遊石淙》詩七律一首，命群臣和作，有石刻至今猶存。她的原唱中有『萬仞高巖藏日色，千尋幽澗浴雲衣』。亦可謂一時佳句。但最能表現其浪漫性格的卻是她自製的商調曲《如意娘》：

看朱成碧思紛紛，憔悴支離爲憶君。
不信比來常下淚，開箱驗取石榴裙。

有人懷疑此詩不是武則天作的，因爲從詩意及語氣看，不像是一位執政的女皇身分。這是由於誤解此詩，認爲是作者自己抒情。當然，武則天不會有這一類型的愛情苦悶。但這是她寫的樂府歌辭，給歌女唱的。詩中的『君』字，可以指任何一個男人。唱給誰聽，這個『君』字就是指誰。正如現代歌星手執話筒，唱著『我愛你』、『我念你』，使聽衆不免動心，就收到戀歌的效果。你如果把這一類型的戀歌認爲是作者的自述，那就是個笨伯了。

詩四句，意義明白，不用注解。我止要提出其第一句，可見武則天對於婦女的相思病，極有深刻的體會。『看朱成碧』是視覺的錯亂。婦女在極度苦悶的情緒中，官感會發生異狀。對於色、聲、香、味的感覺，都會反常。武則天以『看朱成碧思紛紛』來形容這個女人的『憔悴支離』，確是符合於生理學、心理學的經驗之談。

這首詩，豈不是也可以說是女詩人大膽之作嗎？

上官婉兒是上官儀的孫女。上官儀是初唐詩人，首先製定律詩對法的人。婉兒繼承家學，作詩文都是第一流的。武則天當政時，她在宮中爲昭容①。幫助武后進用文人學士，提倡文化。武后朝臣中，詩人最多，與婉兒很有關係。評論沈佺期、宋之問二人詩篇優劣的，也就是她②。她雖然因爲附從安樂公主事被殺，但玄宗在開元初年還特別命臣下編集她的詩文爲《上官昭容集》二十卷。這個集子現在也已亡佚，《全唐詩》中止存她的詩三十二首。

綵書怨

葉下洞庭初，思君萬里餘。

---

①昭容，皇后宮中女官名，爲九嬪之一。位正二品。

②見本書第六篇。

露濃香被冷，月落錦屛虛。
欲奏江南曲，貪封薊北書。
書中無別意，惟悵久離居。

題目是樂府曲名，以前沒有見過，大約也是新創的曲調。詩體卻是五言律詩。這個題目和這首詩連在一處，就可以知道這是初唐的作品。因爲初唐時，五言律詩還可以譜曲入樂。中唐以後，沒有以五言律詩爲樂府歌辭的情況。

一個女人在秋天懷念她的離居已久的丈夫，因而作此詩。第一句就點明時季，同時也暗示作詩的動機。不了解這句詩的來歷，就止能體會到它是說明作詩的時季，而不能體會到它所暗示的作詩動機。現在我們把這句詩的來歷注明：

嫋嫋兮秋風，洞庭波兮木葉下，
白薠兮騁望，與佳期兮夕張。

這是屈原《九歌》中的四句。『葉下洞庭初』，即『洞庭波兮木葉下』。這是點明『怨』的時季。但《九歌》原文在此句下還說明在這個秋風落葉的時候，盼望神來的吉日，預先備好酒食，以供迎迓。『與佳期兮夕張』，在《九歌》中是迎神之詞，在此詩作者所暗示的意義，卻是希望丈夫歸來的吉日。許多詩人運用古典成語，往往含有歇後的作用。即用的字面是上句，用的意義卻在下句。這也是讀詩時應當注意的。

你如果理解了第一句的雙重意義，就能體會第二句並不單是承接上句的字面意義，它同時還承接了上句所暗示的意義。第二聯是描寫這個與丈夫『久離居』的女人的孤寂之感。露濃則天寒，天寒而無人共枕，就覺得被冷了。月落則即將黎明。到了黎明時候，錦屏中還是空虛無人，可知整夜的閨房中，始終是獨自一人。

第三聯上句『欲奏江南曲』，此句亦必須先了解《江南曲》的內容，然後才能了解它與下句的思想關係。據吳兢的《樂府古題要解》云：江南曲是古代相傳的曲子。古詞有『江南可採蓮，蓮葉何田田』，又云：『魚戲蓮葉東，魚戲蓮葉西，魚戲蓮葉南，魚戲蓮葉北。』看來是很早期的江南民歌，故歌詞非常素樸、簡單。吳兢說，後世人作《江南曲》，內容都是『美其芳晨麗景，嬉遊得時。』據此，可以了解這一聯詩是說：我本來想寫幾篇描寫良辰美景、及時行樂的《江南曲》，可是爲了要爭取時間，封發寄到薊北去給你的信，《江南曲》就無心作了。薊北、遼西，都是當時軍人遠征的地方。

第四聯結束全詩。急於要封發的信，也沒有別的內容，止是表示我和你離居已久的惆悵心情而已。這並不是表示信的內容簡單，而是表示滿紙都是離情別緒，顧不到寫別的家務事。此詩題目是《綵書怨》，另有一個版本作《綵毫怨》，意義均同。『書』是信札，『毫』就是筆。這結尾一聯是照應了詩題的。

五言律詩的格調形成於武后朝，文學史上雖然歸功於沈、宋，但我想上官婉兒也一定有一份功績。但看此詩，工穩不亞於沈宋。對仗貼切是她祖父的遺教。『江南曲』本來不是此詩中必要的詞語，但爲了給『薊北書』找配偶，就想到了『欲奏江南曲』一句，可以欣賞她對法之靈妙。

《全唐詩》卷八〇二所錄女詩人詩，有許多是出於傳奇小說，未必眞有此作者，故不可盡信。現在選錄幾首作者較爲可信而詩極好的。

盛小叢是晚唐時越中（紹興）歌妓。大中年間，李訥爲浙東觀察使，夜登城樓，聽到歌聲激切，極爲讚賞，命人將歌者找來，才認識是盛小叢。當時監察御史崔元範在李訥幕中，將奉召入京，李訥置酒送行，席上就命盛小叢唱歌勸酒。在座的主客都作了詩。盛小叢唱的是她自製的曲子：

突厥三臺

雁門山上雁初飛，馬邑欄中馬正肥。
日旰山西逢驛使①，殷勤南北送征衣。

這是一首邊塞詞。首聯二句極自然，極豪放，聲調又響亮。第三、四句寫驛使忙於爲邊疆戰士輸送寒衣，題材也極能表現邊塞風光。女詩人的作品中，像這樣的詩極少見。讀此詩，可以想像，盛小

---

①此句《升庵詩話》所引作『昨夜陰山逢驛使』，似較好。

叢必然是個豪邁的姑娘，不是嬌柔的女士。當時李訥首先賦詩：

繡衣奔命去情多，南國佳人斂翠蛾。
曾向教坊聽國樂，爲君重唱盛叢歌。

王莽時，御史的官名爲『繡衣執法』，故後世以『繡衣』爲御史的代詞。『南國佳人』指盛小叢。『斂翠蛾』即蹙緊眉頭，表示送別的情緒。『曾向教坊聽國樂』是李訥自述曾在長安聽過教坊樂工所奏的國樂，代表國家的第一流音樂。結句說：現在爲你送行，重新再請聽一遍盛小叢的歌聲。這是把盛小叢的歌唱比之爲教坊裏的樂曲。

崔元範也賦了詩，李訥幕下的判官楊知至，也有一首詩，均保存在《全唐詩》中，今不再抄錄。不過楊知至詩的起二句云：『燕趙能歌有幾人，爲花回雪似含顰。』似乎盛小叢是個北方人，流落在浙東爲歌妓的。我想江南歌女恐怕不會作這樣豪放的歌詞。

徐月英是江淮間的妓女，也是晚唐人。她有《送人》一首，在唐人絕句中，可以列入佳作之林。

惆悵人間萬事違，兩人同去一人歸。
生憎平望亭前水，忍照鴛鴦相背飛。

這首詩大有神韻，但是得之於自然，不是刻意琢磨出來的。平望是吳江上的驛亭，送人上船都在此地。『鴛鴦相背飛』是象徵手法，不是實指鴛鴦。『兩人同去一人歸』，豈非『鴛鴦相背飛』了嗎？

徐月英還有一首不全的詩，現在僅有二句，也可謂佳句：

枕前淚共階前雨，隔個窗兒滴到明。

這二句被宋代女詞人聶勝瓊偷了去，補湊成一首：《鷓鴣天》詞：

玉慘花愁出鳳城，蓮花樓下柳青青。尊前一唱陽關曲，別個人人第幾程。尋好夢，夢難成。有誰知我此時情。枕前淚共階前雨，隔個窗兒滴到明。

一九八五年五月二十五日

96　六言詩

我國初民時代的詩歌都是四字一句，最早的如《堯民擊壤歌》、《康衢謠》、《卿雲歌》等謠諺，皆見於古書所引。《詩經》是周代詩的結集，全是四言詩了。大約到戰國後期，南方的楚國人歌唱四言詩的時候，在句中或句尾加上一個和聲『兮』，於是開始出現了五言句，例如：

吉日兮良辰（《楚辭·九歌》）

瑤席兮玉瑱（同上）

嫋嫋兮秋風（同上）

廣開兮天門（同上）

有鳥自南兮，來集漢北。（《楚辭·九章》）

滔滔孟夏兮，草木莽莽。（同上）

其小無內兮，其大無垠。（《楚辭·遠遊》）

經營四荒兮，周流六漠。（同上）

『兮』字的作用是一個音符，用以表示它上面那個字應當曼聲吟唱。這些句子，形式上雖是五字句，但還不能說是五言詩句。到後來，這個『兮』字被換上一個有意義的實字，於是才成爲五言詩句。例如漢李延年作歌云：

北方有佳人，絕世而獨立。
一顧傾人城，再顧傾人國。
寧不知傾城與傾國，佳人難再得。

『寧不知』是襯字，除掉它，就是句法整齊的五言詩。它代替了周代的四言詩，成爲漢、魏、南北朝時代詩的主要句式。這首早期的五言詩，還看得出從『兮』字改用實字的痕跡。如果我們把它寫成以下的句子，意義並不缺少：

北方兮佳人，絕世兮獨立。
一顧兮傾城，再顧兮傾國。
傾城兮傾國，佳人兮難得。

由此可知，五言句既然比四言句多了一個字，它的思想內容也應該多一些。如果五言句可以刪去一個字而無損於它的思想內容，這就是一個多餘的字。宋人說：一首五言律詩，一共四十個字。要如四十位賢人，缺不得一個。其實不但是五言詩，七言詩也何嘗不是這樣。每句之中，不能有不起作用的字。以一般的情況來講，周秦的四言詩發展而爲漢魏的五言詩，每一個詩句的內容都有所充實。從五言而至七言，也同樣應使詩意隨字數而增加。

周秦以前，漢族人的語言，純用單音詞。一詞一義一音。《詩經》裏的四言句，多數是以二字爲一個音節，兩個音節構成一句。詩歌句法的音節結構，用偶數，不用奇數。這種習慣，發展並表現在另一種新的文學形式——賦。但同時，人民的語言中，複音詞日漸多起來，偶數的四言句往往不夠表達一個概念。在音樂方面，以四言詩合樂，又覺得呆板。於是興起了新的詩歌句式——五言。從此以後，詩句字數不從偶數發展，而從奇數發展。故五言詩變而爲七言詩。

六言詩是四言詩向偶數發展的一支細流。它最初也起源於楚歌，在五言句中加一個襯字：

望夫君兮未來，吹參差兮誰思。（《楚辭·九歌》）

帝子降兮北渚，目眇眇兮愁予。（同上）

捐余玦兮江中，遺余佩兮醴浦。（同上）

折疏麻兮瑤華，將以遺兮離居。（同上）

每句六字，是偶數；但音節是每句三個，是奇數。例如第一例：『夫君』、『未來』，是兩個音節。如果不用『兮』字，則單獨一個『望』字，止有半個音節。添一個『兮』字，便湊合三個音節。第二例更爲明顯。『帝子』、『北渚』，兩個音節。『降』字唱時用曼聲，才成爲一個音節。由此可以悟到，六言詩是五言詩的曼聲改爲實字。不過改曼聲爲實字之後，句子結構必須是整齊的三個音節（2＋2＋2），不能像楚辭句法的『望＋夫君＋兮＋未來』。

六言詩是指六個都是實字的詩體。任昉的《文章緣起》說六言詩起於漢代的谷永。楊愼說：《文選》注中引董仲舒琴歌二句，亦六言。時代在谷永之前。谷永的六言詩，今已失傳。董仲舒的琴歌非全章。現在可見的六言詩有孔融所作三首，今錄其第一首：

漢家中葉道微，董卓作亂乘衰。
僭上虐下專威，萬官惶怖莫違。
百姓慘慘心悲。

晉代的陸機有樂府詩《董逃行》，也是六言句。今抄錄二章：

和風習習薄林，柔條布葉垂陰。
鳴鳩拂習相尋，倉庚喈喈弄音。
感時悼逝傷心。

日月相追周旋，萬里倏忽幾年。
人皆冉冉西遷，盛時一往不還。
慷慨乖念淒然。

孔融所作三首，已佚失題目，內容都是寫董卓弄權肆虐的政治情況。陸機所作五首，都是慨嘆人生多故，盛衰無常。二詩形式一致，都是以五句成篇，這恐怕不是偶然相同，而是配合樂曲《董逃行》的節奏寫作的。孔融所作，可能也是《董逃行》的歌辭。因爲《董逃行》的內容正是寫董卓之亂的。

陸機還有一首樂府詩《上留田行》，六言九句，亦可注意。六言詩用於樂府歌辭，爲什麼最後都以一個單句結束呢？

嵇康有六言詩十首，各有題目，很像是一組詠史詩。今抄錄二首以見一斑：

惟上古堯舜

二人功德齊均，不以天下私親。
高尚簡樸慈順，寧濟四海蒸民。

東方朔至清

外以貪汙內眞，穢身滑稽隱名。
不爲世累所嬰，所欲不足無營。

十首詩全是逐句用韻，仍是樂府詩的形式，因此我懷疑六言詩起源於魏晉樂府歌曲。當時詩體質樸，這些詩實在沒有詩味。現在我們且看三百年以後梁、陳詩人陸瓊的一首六言詩：

蒲萄四時芳醇，瑠璃千鍾舊賓。
夜飲舞遲銷燭，朝醒弦促催人。
春風秋月恆好，歡醉日月言新。

此詩題爲《還臺樂》，見《樂府詩集》，可知也是樂府歌辭。六言六句，又是一體。中間『夜飲朝醒』一聯，極爲精妙。韓愈詩『銀燭未銷窗送曙，金釵半醉座添春』（《酒中留上襄陽李相公》），大有皎然所謂『偷意』的嫌疑。

初唐時，李景伯、沈佺期、裴談，各有一首《回波樂》詞，都是六言四句。沈佺期詞云：

回波爾時佺期，流向嶺外生歸。
身名已蒙齒錄，袍笏未復牙緋。

回波樂是舞曲。唐中宗時，內廷宴會，命詞臣作歌詞。沈佺期才從嶺南赦回，尙未恢復牙笏緋袍，故作此詞，表示希望。『齒錄』對『牙緋』，也是假借對，『錄』是『綠』的諧音。

以上從漢魏以來直到初唐，六言詩作者雖不多，但也未嘗絕跡，所以我說這是詩史中的一股細流。不過從所有這些作品看來，六言詩僅用於樂府曲辭，而不是文人抒情述志的詩體。所以古本書籍中僅稱『六言』，而不稱爲『六言詩』。

輞川六言

到盛唐時，王維寫了七首六言詩，描寫他在『輞川』莊園中的閒居生活。今選錄四首：

採菱渡頭風急，策杖林西日斜。
杏樹壇邊漁父，桃花源裏人家。

萋萋春草秋綠，落落長松夏寒。
牛羊自歸村巷，童稚不識衣冠。

山下孤煙遠樹，天邊獨樹高原。
一瓢顏回陋巷，五柳先生對門。

桃紅復含宿雨，柳綠更帶朝煙。
花落家僮未掃，鶯啼山客猶眠。

這是詩了。平仄黏綴，詞性對偶整齊，可以稱爲六言絕句了。但是音調平板，不適合於吟哦，止能供朗誦用。『桃紅復含宿雨』一首是著名的，但又見於皇甫冉詩集。

王維的詩友劉長卿也有五首六言詩，今選抄其二：

送陸澧歸吳中

瓜步寒潮送客，楊花暮雨沾衣。
故山南望何處，秋水連天獨歸。

苕溪酬梁耿別後見寄

清溪落日初低，惆悵孤舟解攜。
鳥向平蕪遠近，人隨流水東西。
白雲千里萬里，明月前溪後溪。
惆悵長沙謫去，江潭芳草萋萋。

『瓜步寒潮』一首又見於李嘉祐詩集中。《全唐詩》中還有許多六言詩，互見於幾個人的集中，最多的是中唐詩人。大約當時六言詩盛行，互相傳抄傳誦，以致混淆了作者。『清溪落日』一首共八句，首尾用散句，中間二聯用對句。這樣，六言詩發展爲律詩了。

但是，竇弘餘的詩集中，有一篇《廣謫仙怨》，也是六言八句。他在詩序中說：玄宗在安祿山亂時，逃難入蜀的路上，很後悔不聽張九齡之言，以致國家不可收拾。因此譜了一支笛曲，名曰《謫仙怨》，以寄托他悼念賢臣之意。這個曲子在大曆年中盛行於江南。劉長卿降官爲睦州司馬時，在一處宴席上聽到這個曲子，就譜作曲詞，但劉長卿並不知道這個笛曲的來歷和寓意，因而他補作一首，名曰《廣謫仙怨》，意思是增廣劉長卿詞的內容。

根據竇弘餘所述的故事，後世詞家就把劉長卿這首六言詩改題爲《謫仙怨》，把八句分爲上下片，每片四句，於是這首六言律詩一變而成爲詞了。不過，不要緊。韓翃有《送陳明府赴淮南》和《河上寄故人》二首，都是六言八句，無論如何，總該算是六言律詩了。

六言律詩作者甚少，絕句則愈作愈好，宋代詩人如康伯可、王安石、秦觀、參寥子等，都有很好的六言詩。現在選錄張繼一首，以結束唐人六言絕句：

奉寄皇甫補闕

京口情人別久，　揚州估客來疏。
潮至潯陽回去，　相思無處通書。

六言詩從古代樂府歌曲中解放出來，成爲不合樂的詩的形式，爲時不久，又被唐代新流行的歌曲吸收進去。與劉長卿、竇弘餘同時的韋應物有一首《三臺》、一首《古調笑》，都是六言句的曲詞。

三臺

冰泮寒塘水綠，　雨餘百草皆生。
朝來衡門無事，　晚下高齋有情。

古調笑

河漢，河漢，　曉掛秋城漫漫。
愁人起望相思，　塞北江南別離。
離別，離別，　河漢雖同路絕。

王建有《宮中三臺詞》二首、《江南三臺詞》四首。《三臺》是當時新行的小曲，故後世稱爲《三臺令》，認爲是一個詞調名。今選錄《江南三臺詞》二首：

揚州橋邊小婦，　長干城裏商人。
三年不得消息，　各自拜鬼求神。

青草湖邊草色，　飛猿嶺上猿聲。
萬里三湘客到，　有風有雨人行。

王建也有《調笑》一首，即韋應物的《古調笑》，大約這是一個古代傳下來的曲子，故韋應物加「古」字。後世稱《調笑令》。

團扇，團扇，　美人病來遮面。
玉顏憔悴三年，　誰復商量管絃。
絃管，絃管，　春草昭陽路斷。

戴叔倫有一首《轉應曲》，就是《調笑》：

邊草，邊草，　　邊草盡來兵老。
山南山北雪晴，　　千里萬里月明。
明月，明月，　　胡笳一聲愁絕。

這是一首邊塞詞，在唐詩中亦爲僅見之作。韋、王、戴三家所作，句式，韻法都相同，已成定格，故後世劃入詞調，名《調笑令》，或《轉應曲》，但南唐詞人馮延巳有三首《三臺令》，卻就是《調笑令》。由此可知，《轉應曲》或《調笑令》，就是《三臺》的變體。以六言四句爲本體，加了四個二言短句。今選抄馮延巳一首：

南浦，南浦，　　翠鬢離人何處。
當時攜手高樓，　　依舊樓前水流。
流水，流水，　　中有傷心雙淚。

六言句不但用入了唐五代的曲子詞，也用入了北曲小令。請讀一支元人張小山的《晚步》，調名《天淨沙》：

吟詩人老天涯，　　閉門春在誰家。
破帽深衣瘦馬，
晚來堪畫：小橋風雪梅花。

以上敘述了六言詩的起源與流變。另外，還有一首顧況的《漁父引》，六言三句，尤其是中唐六言詩的新體。但此詩不見於顧況詩集，而見於宋人記錄。黃山谷、徐師川都很愛此詩，全文借用來作爲《浣溪紗》的上片。因爲無法證明此詩確是顧況所作，更無從知道這三句是否全篇，題目是否原有，故止能作爲附錄，以備參考。

漁父引

新婦磯邊月明，
女兒浦口潮平；
沙頭鷺宿魚驚。

一九八五年五月二十九日

97 聯句詩

漢武帝元鼎二年（公元前一一五年）春，起造了一座柏梁臺。此臺用香柏爲梁，故名柏梁。元封三年（公元前一〇八年），在柏梁臺上開宴，規定二千石以上的官，能作七言詩者，可以坐於上席。於是皇帝首先作了一句七言詩，親王、大將軍、丞相等按官位高低每人接下去作一句，都用皇帝所作第一句的韻腳。從此文學史上出現了第一首連句體的《柏梁詩》①。『柏梁詩』既是詩題，又是詩體名詞。後世的一切聯句詩都可以稱爲『柏梁詩』或稱『柏梁體』。太初元年（公元前一〇三年）十一月，柏梁臺被大火燒毀。『柏梁詩』遂成爲此臺唯一的紀念文獻。

柏梁詩

日月星辰和四時（帝）

驂駕駟馬從梁來（梁孝王）

---

①連句，齊梁以後稱爲聯句。柏梁體是連句詩的名稱。《滄浪詩話》以每句用韻的詩爲柏梁體，非也。

郡國士馬羽林材（大司馬）
總領天下誠難治（丞相石慶）
和撫四夷不易哉（大將軍衛青）
刀筆之吏臣執之（御史大夫倪寬）
撞鐘伐鼓聲中詩（太常周建德）
宗室廣大日益滋（宗正劉安國）
周圍交戟禁不時（衛尉卿路博德）
總領從宗柏梁臺（光祿勛徐自爲）
平理清讞決嫌疑（廷尉杜周）
修飾輿馬待駕來（太僕公孫賀）
郡國吏功差次之（大鴻臚壺充國）
乘輿御物主治之（少府王溫舒）
陳粟萬石揚以箕（大司農張成）
徼道宮下隨討治（執金吾中尉豹）
三輔盜賊天下危（左馮翊盛宣）
盜阻南山爲民災（右扶風李成信）

外家公主不可治（京兆尹）
椒房率更領其材（詹事陳掌）
蠻夷朝賀常會期（典屬國）
柱枅欂櫨相支持（大匠）
枇杷桔栗桃李梅（大官令）
走狗逐兔張罘罳（上林令）
齧妃女唇甘如飴（郭舍人）
迫窘詰屈幾窮哉（東方朔）

從梁王以下二十二人都是文武官員，每人作詩一句，講他自己的職責。例如太常卿是禮樂官，他管的是『撞鐘伐鼓』。宗正卿是主管皇族的，所以他知道『宗室廣大』，貴族愈多。京兆尹是首都市長，他最怕『外家』和『公主』，他管不了。大官令是管理果樹園的，他不會做詩，止會湊合果名七字。上林令是管理上林苑的，而上林苑是皇帝的獵場。『走狗逐兔』是他的本職。最後還有二人：郭舍人是武帝的管家，東方朔是文學侍從，此二人都以滑稽著名。故以詼諧的詩句結束。郭舍人說：我咬宮女的嘴唇，甜得像飴糖一樣。東方朔說：我做不出七言詩，窘得簡直沒有辦法了。

這裏有許多官名，如大鴻臚、大司農、執金吾、京兆尹等，都是武帝太初元年（公元前一〇四年）所設置，元封三年還沒有這些官職。梁孝王名武，是漢文帝的兒子，元封三年以前早已去世，怎麼還能『從梁來』。這些都是疑點，因此有人以爲是僞作，但此詩見於《三秦記》，即使是後人僞作，時代也相當早，它仍然可以說是最早的聯句詩。

晉武帝司馬炎的時候，有一個賈充，歷官尚書令、司空、太尉。他娶李豐的女兒爲妻。李豐得罪被殺，他的女兒也判處流徒。賈充便再娶郭配的女兒。後來李女得赦回來，皇帝允許賈充兼有二妻，稱爲左、右夫人。可是郭夫人不許李夫人同居，賈充止得爲李夫人另建住宅而不與郭夫人往來。李夫人名琬字淑文，郭夫人名槐，字玉簧。李夫人有文才，賈充去看她，二人聯句成詩一首。這是比較可信的一首最早的聯句詩。

與妻李夫人聯句

室中是阿誰，嘆息聲正悲。（賈）
嘆息亦何爲，恐但大義虧。（李）
大義同膠漆，匪石心不移。（賈）
人誰不慮終，日月有合離。（李）
我心子所達，子心我亦知。（賈）
若能不食言，與君同所宜。（李）

這是一首對話體的詩。每人二句，用同樣的韻腳。賈充問：誰在屋子裏嘆氣？李夫人說：我嘆氣是爲了怕夫妻的情義有所缺損。賈說：夫妻情同膠漆，我的心終不改變。李說：這很難說，日月也有離合。賈充說：不用擔憂，我們二人是彼此知心的。李說：止要你說話算數，我就與你一起過活。

此後，聯句詩綿延不絕。齊代詩人謝朓似乎很高興和朋友聯句，他的詩集中還有七篇聯句詩：其中《阻雪連句遙贈和》一篇，是和江革、王融、王僧孺、謝昊、劉繪、沈約共七人的聯句，每人作五言四句，謝朓首唱。這首聯句詩不是七人在一起時同作的，是用通信方法互相贈和的，故題目說明是『遙贈和』。這又是聯句詩的創格。

梁元帝蕭繹有《宴淸言殿作柏梁體》，是摹仿漢武帝與群臣聯句，每人各作七言一句，叙述本人的職責。可惜全詩已亡佚，僅存三句。

梁武帝蕭衍有《淸暑殿效柏梁體》一首，也是與群臣聯句，每人作七言一句，各人講他的本職。

梁簡文帝蕭綱有《曲水聯句》，是他爲皇太子時與朝臣王臺卿、庾肩吾等人的聯句，每人作五言四句，賦詠曲水。太子作結句。

梁詩人何遜也喜歡聯句。他的詩集中有聯句詩十六首，都是每人作五言四句，有《擬古聯句》、《相送聯句》、《至大雷聯句》、《折花聯句》等，題材有所擴大了。但像《送褚都曹聯句》一首，全文止有四句，句下都不注明作者，顯然是止保存了他自己所作四句，而没有保存其他作者的詩句。

齊梁以後，聯句之風冷落了一時。到唐初，太宗李世民於貞觀三年（公元六二九年），大破突厥後，宴請突利可汗於兩儀殿，也效法漢武帝與群臣聯句爲柏梁體。《全唐詩》中收此詩，聯句者爲淮安王、長孫無忌、房玄齡、蕭瑀，太宗首唱七言一句。其後，高宗李治有《咸亨殿宴近臣諸親柏梁體》一首，僅存高宗首唱『屏欲除奢政返淳』一句。中宗李顯景龍四年（公元七一〇年）正月五日在蓬萊宮大明殿看吐蕃人騎馬之戲，也和群臣作了一首柏梁體聯句詩。這首詩共十四句，中宗首唱之外，參加聯句者十三人。皇后、公主、昭容作六句，都是女詩人。最後由吐蕃舍人明悉獵作結句，這又是聯句詩的新樣。以後幾朝皇帝，不見有與群臣聯句的記載，但中宗李昂與柳公權的聯句卻又是唐史上著名的事。

由於開國以後三朝皇帝的提倡，聯句詩在唐代繁盛起來。《全唐詩》卷七八八至七九四所收全是聯句詩。從李白、杜甫起，有顏眞卿、顧況、皎然、白居易、劉禹錫、韓愈、孟郊、段成式，直到皮日休、陸龜蒙，從開元、天寶至唐末，聯句的風氣沒有中止過，可知聯句詩特盛於唐代。

唐代的聯句詩，有二人聯句或數人聯句。有每人作二句或四句的。有五言的，有七言的，也有三言的。但都是數人合作一詩，共賦一事一物，而沒有對話體。像賈充和李夫人的對話體聯句詩，文學史上恐怕僅此一首。

李白有《改九子山爲九華山聯句》，是李白、高霽、韋權輿三人聯句。李白先作二句，高霽續作二句，韋權輿再續二句，最後李白又作結尾二句。顏眞卿有《登峴山觀李左相石尊聯句》，參加者有皎然、陸羽等二十八人。顏眞卿作五言二句爲首唱。接下去每人續作二句，成爲一首五言五十六韻排律，這是作者最多的一首聯句。

李益有《天津橋南山中聯句》一首，參加者爲韋執中、諸葛覺、賈島，主客共四人，每人作五言一句，合成絕句一首。這是最簡單的聯句詩。詩云：

野坐兮苔席，（李）山行繞菊叢。（韋）
雲衣惹不破，（諸葛）秋色望來空。（賈）

李絳、崔群、白居易、劉禹錫四人的《杏園聯句》是每人作二句的七言律詩：

杏園千樹欲隨風，一醉同人此暫同。（群上司空）
老態忽忘絲管裏，衰顏宜解酒杯中。（絳上白二十二）
曲江日暮殘紅在，翰苑年深舊事空。（居易上主客）
二十四年流落者，故人相引到花叢。（禹錫）

這首詩是崔群首唱。他先作兩個起句。『上司空』是指定要誰接下去。司空是李絳的官名。於是李絳續作一聯。指定要白二十二接下去。二十二是白居易的行次。白居易作了頸聯，指定主客郎中劉禹錫作結句。這個辦法，就是現代賭酒、賽球的『點將』。

白居易與劉禹錫，韓愈與孟郊，皮日休與陸龜蒙，是作聯句詩最多的搭檔。他們的聯句多數是每人作五言四句。首唱者作起句二句，可以是散句，也可以是對句。接下去再作一聯對句。第二人接下去作對句二聯。如是輪番各作二聯，到最後才以二個散句結束。這樣的聯句，可以成爲五十韻、一百韻的長篇排律。

韓愈與孟郊的《城南聯句》是一首著名的五言聯句。它創始了一種新的聯句法。韓愈先作第一句。孟郊作第二、三句。接下去韓愈作第四、五句。如此輪番寫下去，最後韓愈以一句結尾，全詩長到一百五十四韻，三百零八字。這種聯句方法，名爲跨句聯法。過去都是每人作二句或四句，概念是完整的，對偶也是由各人自己結構。現在韓愈改爲從第二句聯起，就必須先對上句，然後作第二聯的上句，留給對方去找下句。這樣就避免了一人自作對聯。在思想內容方面，要先補足對方出句的詩意，然後自己提出半個概念，讓對方去補足。這樣的聯句，就比較難做了。自從韓愈創造這個聯句形式後，唐詩中止有陸龜蒙、皮日休、嵩起三人的《報恩南池聯句》用過這個聯法。宋代以後，聯句作者很多，一般都是用跨句聯法作五、七言律詩。每人作二句或四句的聯句方法不用了。作長篇排律的也極少了。

一九八五年六月五日

98 唐人詩論鳥瞰

本文目的在將唐人關於詩的評論研究作一個鳥瞰。其實，我在講詩的時候，已隨時接觸到這一方面的情況，本文止是再綜合一次而已。詩論、文論，都屬於文學批評，是文藝學的一個專題。關於唐代詩論，已有郭紹虞、羅根澤、朱東潤、方孝岳諸家的專門研究成果，各種版本的《中國文學批評史》講得都很詳盡，讀者可以參閱。我也沒有能力講得更多、更好些。此外，陸侃如的《中國詩史》，也講到過唐人詩論，讀者亦可與各本《中國文學批評史》參詳。因此，本文止是把唐人詩論作一個簡單的提綱，所以名之曰鳥瞰。

文學批評，產生於文學繁榮的時代。繁榮是百花齊放，百家爭鳴的現象。唐詩在繼承齊、梁、陳、隋及北朝的基礎上，逐漸繁榮，逐漸形成了本時代的文化特徵。王、楊、盧、駱以後，詩風大盛，作爲唐詩第一個特徵的律詩，在聲律、體製等各方面都成熟了。從初唐到中唐前期，詩人們所要研究的，主要是格詩的『格』和律詩的『律』。我們合稱爲『格律』。漢魏以來傳統的五言古體詩，唐人稱爲格詩。格詩要講究『風骨』。這個名詞，到晚唐時，皮日休、陸龜蒙寫作『風格』。可知，風格就是風骨。後世文論家沒有注意這一字之變，往往把風格與風骨認爲是不同的概念，因此就講不淸楚。律詩的『律』，是指音律而言，不是『法律』、『規律』的『律』。所以唐人論律詩，都注意於詞句的音樂性。

初唐時期的詩論，較多的是關於律的硏究。齊梁詩人沈約首創的四聲八病說，在這個時期被重視而採用了。四聲是平、上、去、入。在兩句詩中，要使字聲和諧，就創造並確定了調聲的方法。就是所謂『平仄黏綴』。八病是平頭、上尾、蜂腰、鶴膝、大韻、小韻、旁紐、正紐。都是上下二句之間的聲病。例如平頭是指上下二句第一字和第二字都同聲。如『芳時淑氣淸，提壺臺上傾』一聯中，芳、提，都是平聲；時、壺，也都是平聲。讀起來就不美聽了。這叫做犯了平頭之病。『避忌聲病』，也是當時詩人所十分注意的。

律詩要用對偶句。如何作對，也是初唐人最關心的。上官儀首先歸納出六種對法：㈠正名對（即的名對。如以『天地』對『日月』）。㈡同類對（如以『秋雨』對『春風』）。㈢連珠對（如以『微微』對『漠漠』。又名疊字對，重言對）。㈣雙聲對（如以『槐黃』對『柳綠』。用雙聲字）。㈤疊韻對（如以『旁皇』對『尙羊』，用疊韻字）。㈥雙擬對（如以『花明柳暗』對『月白風淸』）。此後就有人接著硏究對法。元兢作《髓腦》，提出六種對法。崔氏提出三種對法，皎然提出八種對法。

有一個日本和尙弘法大師，在貞元年間來中國求佛法。他也關心中國詩學。抄集了不少中國詩學資料，回國後編成一書，名曰《文鏡秘府論》，以供日本詩家借鑒。我國初、盛唐時期有許多硏究詩格的著作，例如元兢的《髓腦》，王昌齡的《詩格》，至今均已亡失，幸虧《文鏡秘府論》中還保存了一部分。《文鏡秘府論》的內容，即以研究聲病爲主，據此書的記錄，八病已擴大到『二十八種病』，對法已增添到『二十九種對』。根據此書所反映的情況，可知唐代初期的詩論，集中於研究律詩的聲病及對偶。

關於詩的風骨與作用，未見有專書論述。但陳子昂在《與東方左史虯修竹篇序》中慨嘆於『漢魏風骨，晉宋莫傳』。『齊梁間詩，彩麗競繁，而興寄都絕』。李白作《古風》詩，也說『大雅久不作，吾衰竟誰陳』、『自從建安來，綺麗不足珍』。杜甫作《戲爲六絕句》，以表示他的詩學觀點。他以爲作詩應『方駕屈宋』，不應作『齊梁後塵』。這些論調，雖然僅見於片言隻語，都分明看得出他們在詩的辭藻及思想內容兩方面，都主張恢復到魏晉以上，直到《詩經》、《楚辭》。

元結編《篋中集》，就是針對當時詩家止講究聲病而不注意詩的內容及作用的。他在序文中說：『近世作者，更相沿襲。拘限聲病，喜尙形似。且以流易爲辭，不知喪於雅正。然哉？彼則指詠時物，會諧絲竹，與歌兒舞女，生汙惑之聲於私室可矣。若令方直之士，大雅君子，聽而誦之，則未見其可矣。』他雖然批評近世詩人的『拘限聲病，喜尙形似』，但並不否定這種詩。他以爲這種『會諧絲竹』的詩，止能用於私室宴會，讓歌兒舞女去謳唱，以供嬉樂，而正宗的詩，則必須風骨雅正，爲『方直之士』、『大雅君子』所『聽而誦之』。這個觀點，就爲後來白居易把詩分爲諷諭、閒適、感傷三類的根據。

貞元、元和、長慶這一段時期，經梁肅、柳冕、權德輿、獨孤及而至於韓愈，古文運動的文藝理論在唐代文學的發展上起了很大的作用。有許多思想觀點，從初唐以來已有人分別提到，但到韓愈才構成一個完整的理論系統。他在捍衞儒道的基本思想上，對文學的社會作用與創作方法，提出了明確的口號。他主張『文以載道』，就是說文學作品要有思想性。一般詩人都以詩的功能爲『緣情體物』，即歌詠事物，以抒發性情。『載道』就是對『緣情』的否定。他主張爲文要『能自樹立，不因循』。又主張爲文要『務去陳言』，『詞必己出』。都是提倡文學的創造性，反對摹仿古人，反對襲用陳言濫調。這些話都是針對當時文風的弊病而說的。

白居易對詩的觀點，更爲積極。他在給元稹的一封長信中痛快淋漓地講了詩的意義和作用。他主張詩要爲政治服務。在上的統治階級應當『以詩補察時政』，在下的詩人應當『以歌洩導人情』。詩必須通過比興手法寓有諷刺時政的作用。所謂『興發於此而義歸於彼』。否則，但有美麗的佳句，而不起諷諭作用，無益於治道，那就只是『嘲風雪，弄花草』的無聊作品而已。他說自己在年輕時，做過許多詩，朋友都以爲好。其實還沒有認識到作家的任務，年長做官以後，與人談話，常常關心時事；讀書史時，多研求政治得失。於是，才知道文章應當爲時代而作，詩歌應當爲時事而作。這些話，就是說文學創作必須能夠反映時代和社會。白居易的詩論，已接近了近代西洋文學中現實主義的理論，但另一方面，也還是繼承並發揚了『六義』的傳統詩教。

從韓愈到白居易的詩論，雖然如洪鐘震雷，驚動當代。但在同時代詩人的實踐中，可以說沒有起多大的作用。溫飛卿、李商隱反而把綺辭麗句推上了高峰。賈島、姚合，仍然依靠風雲花草，才能成詩。這時的詩家，已不必再研求四聲的黏綴和八病的避忌，他們所注意的是搜集許多可以摹仿、抄襲、學習的佳句。編成一本摘句圖，作爲自己的『枕中秘』。例如齊己有《玄機分別要覽》一卷，摭錄古人詩聯，以風、賦、比、興、雅、頌爲分類法。姚合有《詩例》一卷，亦是摘取古人詩聯，敘其措意，各有體要。李洞有《詩句圖》一卷，取賈島警句五十聯及其他唐人警句五十聯。鄭谷有《國風正訣》一卷，亦是摭取諸家詩聯，分爲六門，注明其比興意義。這些書現在都不傳了。現在止存皎然的《詩式》五卷，張爲的《詩人主客圖》一卷。這兩種書，仍是以摘選佳句爲主。總之，從中唐後期至唐末，詩學研究都集中在律詩的句法。

司空圖的《詩品》一卷，是唐代詩論中突出的著作。他用二十四首四言詩描寫二十四種詩的境界，或說風格，例如他描寫『典雅』的詩境云：

玉壺買春，賞雨茅屋。座中佳士，左右修竹。
白雲初晴，幽鳥相逐。眠琴綠陰，上有飛瀑。
落花無言，人淡如菊。書之歲華，其曰可讀。

詩寫得很好。但要從這樣一首詩中體會典雅的詩境，至多也止是一種象徵性的詩銘，我以爲不能算是文學批評。

一九八五年六月十日

99 唐詩絕句雜說

本文曾在一九八一年《語文學習》發表過。當時應編者之請，爲唐詩絕句寫一篇專文，談談絕句的起源和發展。我曾計劃就歷代各種文學形式有系統地各寫一文，從文學形式的角度探索其承先啓後的情況。這個計劃被教學工作與患病阻止了，迄未實現。現在止有這一篇，附在本書，聊以充數。原來不在本書的計劃中。

一九八五年五月附記。

㈠什麼叫絕句？

絕句是以四句爲一首的詩，每句五言或七言。這是大家都知道的，沒有人會發問。現在要問的是：這種體式的詩，爲什麼名叫『絕句』？這個『絕』字是什麼意思？

光是一句詩，不論是五言或七言，不可能表達一個完整的概念。例如《古詩十九首》第一首第一句『行行重行行』，第二首第一句『青青河畔草』，我們讀了之後，得到什麼概念呢？『走啊走啊』，走到那裏去？『河邊的青草』，又怎麼樣呢？我們必須讀下去，讀到第四句，才能獲得一個完整的概念：

行行重行行，與君生別離。
相去萬餘里，各在天一涯。
道路阻且長，會面安可知？
胡馬依北風，越鳥巢南枝。
相去日已遠，衣帶日已緩。
浮雲蔽白日，遊子不顧返。
思君令人老，歲月忽已晚。
棄捐勿復道，努力加餐飯。

這首詩一共十六句，四句爲一節，表達一個概念，或說一個思想段落。這樣的四句詩，在南北朝時代的文藝理論上，就稱爲『一絕』。絕就是斷絕的意思。晉宋以後的詩，差不多都是四句爲一絕。不管多少長的詩，語言、音節、思想內容，都需要連續四句，才可以停頓下來。

青青河畔草，鬱鬱園中柳。
盈盈樓上女，皎皎當窗牖，
娥娥紅粉妝，纖纖出素手。
昔爲倡家女，今爲蕩子婦。

蕩子行不歸，空牀難獨守。

這首詩前段六句，後段四句，可見是漢魏時代的詩，四句一絕，還沒有成爲規格。如果齊梁時代的詩人做這首詩，他們肯定會刪掉兩句，或再加兩句。

四句一絕，這個觀念是自然形成的，從《詩經》以來，絕大多數詩都是以四句爲一個段落。但它成爲詩的規格，並給以『絕』的名稱，則爲齊梁以後的事。陳代徐陵編《玉臺新詠》，收了漢代的四首五言四句詩，給它們加了一個題目『古絕句』，又收了吳均的四首五言四句詩，題目是『新絕句』。這裏反映出『絕句』這個名詞是當時新產生的。既然把四首原來沒有題目的漢詩稱爲『古絕句』，就不能不把同時代人吳均的四首稱爲『新絕句』了。新、古二字是作品時代的區別，不是詩體的區別。這種詩體，止叫做『絕句』。但是，作《玉臺新詠考異》的紀容舒卻把『新絕句』改爲『雜絕句』，又加了說明：『體仍舊格，不應云新。當由字形相近而誤。』他以爲吳均這四首絕句還是和漢代的四首同一體格，不是唐代近體詩中的絕句，所以不能說是新絕句，因此就大筆一揮，改作『雜絕句』。理由是『新』字與『雜』字『形近而誤』。這是一種荒謬的校勘學，『新』字和『雜』字的字形決不相近，他的理由實在非常武斷。

在北周庾信的詩集裏，有兩個詩題《和侃法師三絕》、《聽歌一絕》，都是五言四句詩。庾信和徐陵是同時人，不過一在北朝，一在南朝，可見絕句在南北朝都已定名、定型，而且可以簡稱爲『三絕』、『一絕』了。

《詩經》裏的詩，大多數是四言四句，古人稱爲「一章」，實際上也是「一絕」。漢魏五言詩，以四句爲全篇的很少，故沒有必要把四句的詩定一個詩體名詞。但在較長的詩篇裏，四句一絕的創作方法已自然形成了。到晉宋以後，由於民間歌謠的影響，詩人喜歡模仿四句的民歌，就大量出現了五言四句的小詩，這時候，才有需要給這一類型的詩定一個名叫做「絕句」。

宋元時代，通行把「絕句」稱爲「截句」。他們以爲「絕句」是從律詩中截取一半。他們似乎不知道「絕句」的產生早於「律詩」。如果說絕句是半首律詩，就應該先有八句的律詩了。這個觀點，是違反詩體發展史的現實的。

(二)古絕句與近體絕句

徐陵所謂古絕句，是指漢魏五言四句的詩。它們有押平聲韻的，也有押仄聲韻的。有第一句起韻的，也有第二句才起韻的。但是它們不講究聲調，也不諧平仄。吳均、庾信的絕句，出現了對句，也偶爾有平仄黏合的，不過還沒有全篇平仄和諧的。除開吳歌西曲這些民間絕句以外，庾信似乎是文人中寫絕句最多的。他的詩集第六卷，全是絕句，而且卷尾有三首七言絕句。

初唐後期，詩句的平仄和諧成爲詩的聲律。四聲八病的理論，愈來愈被重視。五言古詩，七言歌行，各自發展成爲五言律詩、七言律詩。齊梁時期的絕句也趨於服從聲律，講究平仄和諧，於是形成了唐代的絕句。唐代人把新規格的絕句和五、七言律詩都稱爲近體詩，而把傳統的一切五、七言詩稱爲古體詩，或者乾脆稱爲古詩。《玉臺新詠》裏的「古絕句」、「新絕句」，在唐代人看來，一律都是古體。

於是我們要改變一個概念：古體和近體是詩體的區別，而不是作品時代的區別。因爲唐代詩人既做近體絕句，也還做古體絕句。

庾信的一卷絕句，最可以看出從古絕句發展到近體絕句的情況。我們不妨舉幾個例子：

協律新教罷，河陽始學歸。
但令聞一曲，餘聲三日飛。
——聽歌一絕

這首詩第一、二句是對偶句，但對得還不工整。從詞性看，『協律』是職官名，『河陽』是地名；『協』與『河』不成對，『律』與『陽』也不成對。但從全句看來，勉強可以算作對句。從聲律看，如果用近體絕句的標準，那麼這首詩中有五個字是平仄不合格的。『教』應用平聲字，『令』應用平聲字，『聲三日』應用仄仄平字。因此，這一首還是古體絕句。

另外有一首：

劉伶正捉酒，中散欲彈琴。
但使逢秋菊，何須就竹林。
——暮秋野興

這首詩的第一、二和三、四句都是合格的對句。平仄黏合，全都符合唐代近體絕句的標準，因此，我們可以說：這是一首近體絕句。但這樣完整的詩，在庾信集中，還是不多。

雜樹本唯金谷苑，諸花舊滿洛陽城。
正是古來歌舞處，今日看時無地行。
——代人傷往

七言四句詩，在齊梁時已出現不少，但庾信這一首最接近唐人絕句。這首詩止有第四句是不合聲律的。如果把『日』字改用平聲字，『時』字改用仄聲字，『無地』改用仄平字，就是一首近體絕句了。至於第三句平仄組合與第二句相反，這種格式在唐人絕句中稱爲『拗體』，或稱『折腰體』，它可以使整首詩的音調健硬，亦是近體絕句的一格，不算聲病。杜甫就很喜歡做這種絕句。

㈢律詩與絕句

現在一般人都以爲五言或七言八句，中間有兩聯對偶句，這叫做律詩。五言或七言四句的詩，叫做絕句。於是，絕句就不是律詩。又有人把律詩稱爲格律詩，於是絕句就好像不講究格律的了。還有，一般人都以爲律詩的『律』字是規律、法律的『律』。現代漢語從古漢語的單音名詞發展到雙音名詞，於是在『律』字上加一個『格』字，成爲『格律』。於是『律』字的意義更明確地表示爲規律的『律』了。

以上這些概念，實在都是錯誤的。這些錯誤，大約開始於南宋。在唐代詩人和文學批評家的觀念裏，完全不是這樣。

律是唐代近體詩的特徵。唐人作詩，要求字句的音樂性。周顒、沈約以來的四聲八病理論，爲唐代詩人所重視，用於實踐。四聲則分爲平仄兩類，屬於仄聲的上去入三聲，可以不嚴格區別，所以四聲的理論，實際上僅是平仄的理論。唐代詩人認識到詩句要有音樂性，必須在用字的平仄上很好地配合，於是摸索出經驗，凡是兩句之中，上一句用平聲字的地方，下一句必須用仄聲字，尤其是在每句的第二、四、六字，必須使平仄『黏綴』，這樣的詩句，才具有音樂性。律詩的『律』，是『音律』、『律呂』的律，不是『規律』的律。我們可以舉殷璠在他所編《河嶽英靈集》裏的一節話：

> 昔伶倫造律，蓋爲文章之本也。是以氣因律而生，節假律而明，才得律而清焉。寧預於詞場，不可不知音律焉。

就是這一節，已經可以證明唐代詩人創造『律詩』這個名詞，其意義是『合於音律的詩』，也就是『有音樂性的詩』。殷璠的意思是說：詩的聲調合於音律，就會產生詩的氣勢，表明詩的節奏。（這兩句是說詩的外形，即語言文字。）一首詩由於平仄黏綴得好，吟詠之時就容易透發作者的才情。（這一句是說詩的音樂性與內容的關係。）

既然如此，凡是一切要求講究平仄、避免八病的詩，應該都是律詩。不錯，唐代詩人是這樣看的：絕句也是律詩。韓愈的詩文集是他的女婿李漢編定的，白居易的《白氏長慶集》和元稹的《元氏長慶集》，都是作者自己編定的。這三部書中的詩主要是按形式分類，總的分爲『古詩』和『律詩』兩大類。講究平仄的五七言絕句，都編在『律詩』類中，不講究平仄的古體絕句都編在『古詩』類中。這就可以證明唐代人以爲近體絕句也是律詩。

南宋人編詩集，常常分爲『古詩』、『五律』、『七律』、『絕句』等類，從此就把絕句排除在律詩之外。南宋人講起近體詩，常常用『律絕』這個語詞，絕句與律詩便分家了。唐代沒有『律絕』這個語詞。唐人只說『古律』，表示傳統的古體詩和新興的律體詩，或說近體詩。

用『格律詩』這個名詞來表示唐代興起的律詩，這恐怕是現代人開始的錯誤概念。在唐代人的觀念裏，格是『格詩』，即講究風格的詩，也就是古詩；律是『律詩』，即講究聲律的詩，也就是近體詩。高仲武在他編的《中興間氣集》的序文中說明他選詩的標準是『朝野通取，格律兼收』，這是說：不論作者有無官職，不論詩體是古體或近體，凡是好詩都要選入。白居易的《白氏長慶集》分爲前後兩集，是他兩次編集的。前集有『古調詩』九卷，『律詩』八卷，後集有『格詩』四卷，『律詩』十一卷。『古調詩』即『格詩』，都是指古體詩。另外有一卷題作『半格詩』，所收的詩，大體上都是古體，但常有對偶句，或者用平仄黏綴的散句。這些詩似古非古，似律非律，所以名曰『半格詩』。作《唐音審體》的錢良擇注釋道：『半是齊梁格，半是古詩，故曰半格詩。』又說：『格詩，是齊梁格也。』這個注釋是錯誤的。在唐人觀念裏，無論漢魏、齊梁，都是古詩，不能把古詩和齊梁詩對立起來。『格』是風格，做近體詩要講究聲律，作古體詩要講究風格。齊梁詩是一種風格，漢魏詩也是一種風格，不能說『格』是專指齊梁格的。唐人厭薄齊梁詩體的浮靡，要求繼承漢魏詩的風格，這是從詩的內容講的。『風格』這個名詞，到晚唐才出現。在此之前，唐人都稱『標格』，或稱『風骨』，所謂『建安風骨』，就是指漢魏詩的風格。《文鏡秘府論·論文意》云：『凡作詩之體，意是格，聲是律；意高則格高，聲辨則律淸，格律全，然後始有調。』

以上這些引證，都說明『格律』是兩回事，不能把唐代律詩稱爲『格律詩』。我們如果要一個雙音詞來稱呼唐代的律詩（包括絕句），應該名之爲『聲律詩』。

㈣絕句的結構

從前寫文章的人，特別是學習唐宋八家古文的人，都講究一篇文章的結構，要有『起、承、轉、合』。這是從寫作實踐中歸納出來的創作方法。寫文章不完全同於說話。說話可以較爲隨便，說顚倒了可以隨即改口糾正，寫成文字形式，就必須先考慮一下合於邏輯的次序。要說明一個觀念，應當從什麼地方說開頭（起），接下去應當怎麼說（承），再接下去，應當如何轉一個方向，引導到你要說明的觀念（轉），最後才綜合上文，說明你的觀念，完成這篇文章的目的任務（合）。這四個寫作程序，事實上就是表達一個思維結果的邏輯程序，原是無可非議的。不過，有些濫調古文家太拘泥於這四個程序，甚至在八股文興起以後，它們又成爲刻板的公式：第一、二股必須是起，第三、四股必須是承……這樣一來，『起承轉合』就成爲教條，成爲規律，使能夠自由發揮思想和文字的作者，不得不起來反對了。

詩和散文雖然文學形式不同，表達思想感情的方法也不同，但其邏輯程序卻是相同的。我們在絕句這種詩的形式上，可以特別明顯地看到：一般的絕句，往往是起承轉合式的結構。由於詩有字數的限制，文字的使用不能不力求精簡，『之乎者也』這種語氣詞固然絕對不用，連動詞也可以省掉，主謂語也可以顚倒。因此，四句之間的關係，就不像散文那樣明顯。但是，如果你仔細玩味，體會，還是可以發現大多數絕句的結構是可以分析出起承轉合四個過程的。

我們先舉王昌齡的《出塞》詩爲例：

秦時明月漢時關，萬里長征人未還。

但使龍城飛將在，不教胡馬度陰山。

題目是《出塞》，詩人首先就考慮如何表現邊塞。他從許多邊塞形象中選出了『明月』和『關防』，再用『秦漢』來增加它們的歷史意義。從這一句開始（起），一個『塞』字就勾勒出來了。但是，光這一句還不成爲一個概念，『秦時明月』和『漢時關』，怎麼樣呢？詩人接下去寫了第二句（承）。這第二句，我們不必講解，一讀就知道他很容易地完成了征人『出塞』的概念。兩句詩，還止是說明了一個客觀現實：有許多離家萬里的軍人在塞外作戰，不得回家。『出塞』的概念是完整了，但詩人作這首詩的意圖呢，還無從知道。於是他不能再順著第二句的思想路線寫下去。他必須轉到他的主題思想上去，於是他寫下了第三句。這第三句和第一、二句有什麼關係？看不出來，使讀者覺得非常突兀。於是詩人寫出了第四句。哦，原來如此，他把第一、二句的客觀現實納入到他的主觀願望裏去了，主題思想充分表達，詩也完成了（合）。讀到第四句，我們才體會到前面『秦時明月』、『漢時關』、『萬里長征』這些修辭的力量。如果胡馬不能度陰山而入侵，則秦漢時的明月邊關就成爲新時代的明月邊關，而萬里長征的人也都可以還家了。

一首絕句的第三句，總是第一、二句和第四句之間的掛鈎。絕句做得好不好，第三句的關係很大。唐詩中的五、七言絕句大多數用這種結構：四個散句的起承轉合式。所謂散句，就是句與句之間，不講究對偶。

回樂峰前沙似雪，受降城外月如霜。

不知何處吹蘆管，一夜征人盡望鄉。

這是李益的詩，題目是《夜上受降城聞笛》。此詩第一、二句是對句，『回樂峰前』就在『受降城外』，兩句是平起，都是點明題目中的『受降城』和『夜』。所以第二句不能說是承句。第三句轉到『聞笛』，第四句結束，說明『聞笛』後的征人情緒。凡是第一、二句作對句的絕句，常常止有起、轉、合三段。

現在再看一首顧況的《宮詞》：

玉樓天半起笙歌，風送宮嬪笑語和。

月殿影開聞夜漏，水精簾卷近秋河

此詩第一、二句是散句，第三、四句是對句。第一、二句有起承關係，第三句既不是轉，第四句也不是合。這兩句的創作方法是『賦』，就是『描寫』。它們是用來描寫前兩句所敘述的宮中夜宴情景，特別渲染了『玉樓天半』。這首詩有人說是寫宮怨的詩，我以爲看不到有表現『怨』的比興意義。

因爲全詩四句都是客觀描寫，沒有表現詩人的主觀情感，也沒有代替某一個失寵的宮嬪表現其怨情。所以題目止是《宮詞》而不是《宮怨》。這樣的絕句，我們很難說第三、四句是合。凡是第三、四句作對句的絕句，它的結構方式常常有這樣的情況。

歲歲金河復玉關，朝朝馬策與刀環。
三春白雪歸青冢，萬里黃河繞黑山。

這是柳中庸的《征人怨》，它代表了絕句的另一種結構方式。第一、二句是對句，第三、四句亦是對句，整首詩以兩副對聯構成。四句之間，非但沒有起承轉合的四段關係，甚至也體會不到起承關係。勉強分析，可以認爲第三、四句是起，第一、二句是合，這是一種倒裝的結構。從邏輯思維的順序來講，第三、四句是描寫塞外荒寒的景色。在這樣荒寒的塞外，征人歲歲年年驅馳於金河與玉門關之間，朝朝暮暮過著騎馬揮刀的生活。四句詩全是客觀描寫，沒有從正面寫征人之『怨』，而讓讀者自己去體會其『怨』。全詩的主題思想隱伏在第一、二句，所以我們可以認爲這是『合』的部分。

作者在這首詩中，還運用了另一種藝術句法。在每一句中，都用了成對的語詞。『金河』對『玉關』，『馬策』對『刀環』，『白雪』對『青冢』，『黃河』對『黑山』。這種對偶形式，名爲『當句對』，非但上句與下句成對，在本句中也還有對偶。當句對並不是兩聯結構式絕句的必要條件，這裏引用柳中庸這首詩，止是順便了解一下唐詩中有這樣一種句法。

兩聯結構式的絕句，杜甫詩集中有好幾首。他有一首題曰《漫成》的：

江月去人只數尺，風燈照夜欲三更。
沙頭宿鷺聯拳靜，船尾跳魚撥刺鳴。

也是四句平行的描寫句，比柳中庸那一首更分別不出起合關係，因此更難找出它的主題思想。作者題曰《漫成》，表示這是偶然高興寫成的，等於畫家隨手畫一幅素描，止是一種練習方法。

以上所舉諸例，李益的一首是一、二對句，三、四散句，正合於一首七言八句律詩的後半首。顧況的一首是一、二散句，三、四對句，正合於八句律詩的前半首。柳中庸、杜甫的二首是兩聯結構，正合於八句律詩的中段。至於用四個散句組成的絕大多數絕句，就等於八句律詩的首尾四句。因此，就有人說絕句是截取八句律詩的一半，從而把絕句稱爲『截句』。但是，在北周詩人庾信的詩集中，這些結構形式都早已出現了。上文所引的『協律新敎罷』一首，就是五言八句律詩的後半首。『劉伶正捉酒』一首，就是八句律詩的中段。另外有一首《行途賦得四更》：

四更天欲曙，落月垂關下。
深谷暗藏人，欹松横礙馬。

這就是八句律詩的前半首。庾信的時代，八句的近體律詩還沒有產生，但唐詩絕句的各種結構方法卻已具備，可以證明絕句並不是截取律詩的一半。甚至，我們還有理由推測律詩的句法是古絕句的發展。

唐代詩人對於詩的句法結構，隨時都有新的創造，他們不甘心爲舊的形式所拘束。在絕句這方面，元稹有一首值得注意的詩：

芙蓉脂肉綠雲鬟，
罨畫樓臺青黛山，
千樹桃花萬年藥，
不知何事憶人間？

這首題爲《劉阮妻二首》（之二）的詩是詠劉晨、阮肇入天台山，遇到仙女的故事。前三句是平行句，列舉了天台山中的美好事物。第一句是說仙女的美，第二句是說仙山樓閣的美，第三句是說山中花草的美。（脂肉，即肌肉；萬年藥，即食之長壽的草藥。）第三句以後，我們在講的時候，必須補充一句詩人省掉的話『既然有這麼好的生活環境』，於是得到第四句『你們爲什麼還要憶念人間而回來呢』。

這首詩是三句起、一句合的結構方式，極爲少見，恐怕是元稹的創造。由此可見，起承轉合，是一般性的詩文結構原則，變化運用，則是作者的創造能力。

100 歷代唐詩選本叙錄

我國文學，繁榮最早。商周之時，民間歌謠和士大夫的詩，據說已有三千多首。孔子删汰其十分之九，存其精華，得三百又五篇，編成一部最早的詩選集，現在稱爲《詩經》。孔子是最早的選家，也是最早的編輯。

孔子的編選工作，歷代都有繼承人。東漢王逸編《楚辭》、梁昭明太子蕭統編《文選》、陳徐陵編《玉臺新詠》，這是漢魏六朝僅存的三部詩文選集。此外還有許多選集，均已亡佚。

唐代三百年間，文學昌盛，詩的繁榮，尤其凌駕前代。因此，詩的選集，隨時有人編撰，幾乎接踵而出。每一個選集，都代表當時的詩風，亦反映編選者的文藝觀點。現在將唐宋以來最重要的唐詩選集編列書目，供研讀唐詩者參考。

一、唐人選唐詩

(一)《國秀集》三卷　國子生芮挺章編　進士樓穎序

此書選錄武則天朝詩人李嶠、宋之問等至天寶末年詩人王灣、祖詠等共九十人的詩二百二十首。但現在所傳此書已缺漏了呂令問、敬括、韋承慶三人的詩四首。所選各人之詩數，亦有與目錄不合者。實在止有八十五人，詩二百十八首。又樓穎序稱：『自開元以來，維天寶三載，譴謫蕪穢，登納菁英，可被管弦者，都爲一集。』因此歷來著錄者，都以爲此書編成於天寶三年。其實是樓穎的序文寫得不明白。天寶三年是此書開始選編的年分。開元是秘書監陳公與國子司業蘇公建議選編此書的年代。書編成於何年，序文中沒有交代。大約在天寶末年，安祿山叛變之前。

『可被管弦者』是此書選詩的標準。當時正是律詩成熟的時候，故選家以音律和諧、可以配合樂曲的詩爲合格。由此亦可知當時的五言古詩、律詩都可以合樂歌唱。

㈡《河嶽英靈集》二卷　丹陽進士殷璠集

此書有殷璠自序，又有《集論》一篇。序中略述歷代以來詩的風格：『武德初，（輕艷的）微波尚在。貞觀末，標格漸高。景雲中，頗通遠調。開元十五年後，聲律、風骨始備矣。』又叙述此書內容云：『若王維、昌齡、儲光羲等二十四人，皆河嶽英靈也。此集便以「河嶽英靈」爲號。詩二百三十四首，分爲上下卷。起甲寅，終癸巳。』甲寅是開元二年（公元七一四年），癸巳是天寶十二年（公元七五三年）。這兩個年分，可能是選詩起訖的年分，天寶十二年，未必是成書的年分。向來著錄家都以爲《國秀集》是現存最早的一部唐人選唐詩集，現在看來，《河嶽英靈集》的成書，可能在《國秀集》之前。

《集論》中講到選詩的標準：『璠今所集，頗異諸家，既閑新聲，復曉古體。文質半取，風騷兩挾。言氣骨則建安爲傳；論宮商則太康不逮。』這是說他選的詩新舊兼收。新聲指律詩，古體指古詩。以下四句，都是分指古律而言。文是律詩，質是古詩。風指古詩，騷指律詩。氣骨是古詩的要求，宮商是律詩的要求。

此書在每一位詩人名下，都有一段評論。先概括這位詩人的風格，然後舉出他的一些佳句，開了摘句評詩的風氣。例如評岑參云：『參詩語奇體峻，意亦造奇。至如「長風吹白茅，野火燒枯桑」，可謂逸才。又「山風吹空林，颯颯如有人」，宜稱幽致也。』

(三)《篋中集》一卷 元結編

元結的文藝思想是主張復古的。在散文方面，他是古文運動的先導。在詩方面，他認爲新近流行的詩，『拘限聲病，喜尚形似。且以流易爲詞，不知喪於雅正。』因此他推崇沈千運、孟雲卿等七人的五言古體詩，將篋中所有二十四首，編爲一卷，以『傳之親故』。

此書選編宗旨，與《國秀》、《河嶽》二集，截然不同。雖然止是二十四首詩的小集，卻代表了當時五言古詩的精萃。

(四)《搜玉小集》一卷

此書無選編者姓名，亦無序跋。所選皆初唐人詩，最早者魏徵，最遲者劉希夷、裴漼。編次雜亂，似非成書。但鄭樵《通志》已載此書名目，云是『唐人選當時名士詩』。則此書爲唐人舊本無疑。

舊目稱入選者三十七人，詩六十三首。今本但有三十四人，詩六十二首。

此書時代當在《國秀集》之前，今附於《篋中集》後。

(五)《中興間氣集》二卷　渤海高仲武編

高仲武自序謂選詩『起自至德元首，終於大曆暮年，作者數千，選者二十六人。詩總一百四十首（今存一百三十二首）。分爲兩卷，七言附之。略叙品彙人倫，命曰《中興間氣集》。』此書於每一詩人，亦有評語，即所謂『略叙品彙人倫』也。『七言附之』一句，極可注意。可見大曆時猶以五言詩爲正宗，七言詩止是附庸而已。

(六)《御覽詩》　令狐楚奉敕纂

此書又名《唐歌詩》，又名《選進集》，又名《元和御覽》。憲宗李純愛好詩歌，元和年間命翰林學士守中書舍人令狐楚編錄近代及當代名家詩進呈以供御覽，即此書也。

此書不分卷，選大曆至元和詩人三十家，詩二百八十九首。所選之詩，皆近體五、七言律詩及歌行，無古詩。由此可見，此一時期，近體七言詩正在盛行，古詩不爲世重，與《河嶽英靈》、《中興間氣》二集的編選宗旨恰巧相反。

(七)《極玄集》二卷　姚合選

姚合爲中唐後期著名詩人，元和十一年（公元八一六年）進士及第。此書當編於元和、長慶年間。原有自序，已佚缺，僅存四句云：『此皆詩家射雕手也。合於衆集中更選其極玄者，凡念一人，共百首。』這是說，所選二十一位詩人，都是高手，現在從各人集中選其極玄之作。極玄，即是極妙。

此書所選從王維以下至戴叔倫，都是中唐前期詩人。全是五言律詩及絕句，無一首七言詩。姚合自己的詩，亦以五言律詩爲最工。他的詩開晚唐諸家五律的風氣，故此書於晚唐詩風大有關係。

此書於每一位詩人名下，附注小傳，爲研究唐詩者提供可靠的傳記資料，亦爲選集附作者小傳開了先例。

(八)《又玄集》三卷　韋莊編

姚合編《極玄集》以後七十年，詩人韋莊於光化三年（公元九〇〇年）續選了一部《又玄集》，自序稱選『才子一百五十人，名詩三百首。』今傳本僅有詩一百四十二家。或者是舉成數而言。

此書所選詩，五、七言古律及歌行均有，不像姚合之專選五言詩。雖則沿用姚合的書名，其實宗旨已不相同。卷下所錄有無可以下釋子詩十家，李冶以下婦女詩十九家。亦爲詩選兼收僧道及女子詩開了先例。詩家時代則從盛唐的李白、王維至同時代的方干、羅隱，幾乎有一百七八十年之久，也和以前幾部選集僅選最近幾十年作品者不同。

此書在我國早已亡佚，明清人都沒有見過。但在日本卻有流傳。一九五七年，日本京都大學清水茂教授讀了夏承燾教授的《韋端己年譜》，知道中國已無此書，就寄贈夏老一份書影照片。夏老即交與上海古典文學出版社影印出版，今天我們才能見到此書全帙。

(九)《才調集》十卷　韋縠編集

此書有編者韋縠自序，略云：『暇日因閱李杜集、元白詩，其間天海混茫，風流挺特。遂採摭奧妙，並諸賢達章句，不可備錄，各有編次。或閒窗展卷，或月榭行吟，韻高而桂魄爭光，詞麗而春色鬥美。但貴自樂所好，豈敢垂諸後昆。今纂諸家歌詩，總一千首，每一百首成卷，分之為十目，曰《才調集》。』

此書今世傳本亦十卷，詩一千首，從盛唐的王維、李白起到唐末。但無杜甫詩。序文云分為『十目』，但今本不見分目。從第一卷到第八卷，每卷第一人選詩特多，如第一卷以白居易詩十九首開始，第二卷以溫飛卿詩六十一首開始。而第五卷中又有白居易詩八首，似乎有張為《主客圖》的意義。原本每卷必有類目，今已佚失。

編者韋縠是五代時後蜀的詩人，官監察御史。當時的詩風繼承晚唐的清麗一派，故所選多中、晚唐穠麗詩。溫飛卿選六十一首，李商隱選四十首，元稹選五十七首，杜牧選三十三首，韋莊選六十三首。由此可知其傾向。北宋初的西崑體諸詩人即奉此書為圭臬。

以上九種是我們今天能見到的唐人選唐詩，為研究唐詩的重要參考書。從這些選集的評論或取捨中，可以見到唐詩各個時期的風尚。有些書中採錄的詩篇，字句亦有與現代所傳的不同，因此它們也是研究唐詩用的校勘資料。

(10)《珠英學士集》五卷　崔融集

武后曾命武三思等修《三教珠英集》一千三百卷。參加修書的都是著名的文人學者，凡四十七人，稱爲『珠英學士』。崔融編集他們所作詩，爲《珠英學士集》五卷，崔融自作序。

㈡《**正聲集**》**三卷　孫翌集**

孫翌，字季良，開元間人。選時人詩三卷爲《正聲集》。此書已佚，不可得見。但知其以劉希夷詩爲冠。又知其錄陳子昂詩十首。

㈢《**麗則集**》**五卷**

此書題李氏撰，不著名。選初唐至開元時人詩三百二十首，分門編類。貞元中，鄭餘慶爲序。

㈢《**南薰集**》**三卷　竇常撰集**

此書選韓翃至皎然三十人的詩三百六十篇，分三卷。不用上中下，或一二三分卷法，以爲這樣就有等級高低的嫌疑，故分題爲西掖、南宮、外臺三卷。每人均繫名繫贊。

㈣《**唐詩類選**》**二十卷　顧陶選**

顧陶是會昌四年（公元八四四年）進士，官太子校書郎。選唐一代詩一千二百三十二首，爲《唐詩類選》二十卷，大中十年（公元八五六年）自爲序。

㈤《**翰林學士集殘本**》**一卷**

此書爲初唐詩文選集之殘本。僅存詩一卷，計唐太宗、許敬宗、長孫無忌、上官儀以下十七家，並失名一家，凡詩五十一首，多不見於《全唐詩》。原本爲唐人寫卷子殘帙，早年流傳於日本。清光緒年中，貴陽陳矩訪書日本，傳鈔得之。既歸，刊本傳於世。翰林學士，開元二十六年（公元七三八年）始置。此卷無書名，而所收皆初唐人詩，疑《翰林學士集》，非其原名。

以上（一〇至一三）四種是已亡失的唐人選唐詩集。《唐詩類選》還存幾個殘卷，影印在《四部叢刊》三編中。《翰林學士集》有清光緒中貴陽陳氏刻本。此外，敦煌卷子中有許多唐詩寫本，都是各人隨意鈔寫以供吟誦的。原來並不是一個選集，羅振玉取詩數較多的一卷，刊入《鳴沙石室遺書》，題作《唐寫本唐人選唐詩》。上海古籍出版社以此卷與其他九種唐人選唐詩合爲一集，稱《唐人選唐詩十種》，從此，學者就不必分別訪求了。

二、宋人選唐詩

(一)《文苑英華》一千卷

這是宋太宗趙炅命學士李昉、徐鉉等人編的一部大規模的文學選集。因爲蕭統的《文選》所收至梁代而止。此書繼續《文選》，故從梁代開始，選錄梁、陳、隋、唐的詩文辭賦。從太平興國七年（公元九八二年）開始，至雍熙四年（公元九八七年）始成書。其中梁、陳、隋的詩文極少，詩的部分，可以認爲是宋代第一部唐詩選集。當時唐人詩集還沒有多少亡失，故所選錄的資料都保持原本面目，亦爲研究唐詩的第一手資料。

(二)《唐文粹》一百卷　姚鉉編

姚鉉亦北宋早期人，太平興國年間進士，官至兩浙轉運使。他把《文苑英華》中唐代詩文選了一個簡編本，名曰《唐文粹》。這部書和《文苑英華》不同。《文苑英華》是許多人合作選編的，選錄標準不一致。《唐文粹》是姚鉉用他自己的文藝觀點選編的。唐詩部分，他純取古體詩，不收五、七言近體詩，可見他是一個復古思想家。這部書的詩歌部分，可以目爲唐代古體詩選。

(三)《唐百家詩選》二十卷

此書相傳爲王安石所編。晁氏《郡齋讀書志》著錄稱宋敏求編，而由王安石改定的。不管是誰所編，它總是一部北宋時期的唐詩選。選詩一百零八家，詩一千二百六十二首。李白、杜甫、韓愈、王維、白居易等大家的詩都不選入，可知編選者是因爲大家、名家的詩集，人人都有，易於見到，小家詩人多，詩集流傳不廣，故專選一本第二流以下的唐詩。

(四)《萬首唐人絕句》九十一卷　洪邁編

洪邁於淳熙年間編錄唐人絕句五千四百首進呈孝宗趙昚。皇帝問：唐人絕句共有多少？洪邁答說有一萬首。皇帝即命他編足一萬首。到光宗紹熙三年（公元一一九二年）才編成進呈。全書原有一百卷，每卷一百首，現今傳本已有殘缺。

洪邁此書，爲了湊滿一萬首，內容非常蕪雜。有宋初人的詩混入。亦有從律詩中截取四句，作爲絕句編入。學術性不高，僅可以供校勘用。但此書實際已不是選集，而是唐人絕句的總集了。

(五)《衆妙集》一卷　趙師秀編

趙師秀是南宋江湖詩人，作詩崇尚晚唐的姚合。他選了這一本唐詩，從初唐的沈佺期到晚唐的王貞白，共七十六人，都是五、七言律詩，不選古體。五言律詩佔十分之九，七言律詩僅十分之一。這也反映了當時江湖派及四靈派都刻意作中、晚唐五言律詩，因而出現了這部選集，以供詩家揣摹。

㈥《謝注唐詩絕句》五卷　趙蕃、韓淲選　謝枋得注解

此書爲宋元之間風行的唐人絕句選本。所選不過百首，皆淺顯平正之作，用以教小學生。謝枋得，字君直，號疊山。他的評語，大多已抄入《唐詩品彙》。但我國已幾百年不見此書刻本，直到清末才從日本傳回來。

㈦《三體唐詩》六卷　周弼編

周弼，字伯弼，宋理宗時江湖詩人。此書爲研討律詩作法而編。所謂三體，是指七言絕句，五言律詩和七言律詩。周氏把律詩句法分爲虛實二種。寫景是實句，抒情是虛句。一首律詩的八句，必須虛實配搭得好，根據這個觀點，他把七言絕句分爲七種格式，七言律詩分爲六種格式，五言律詩分爲七種格式。

周氏此書，重視律詩句法，意在挽救當時江湖派末流詩人句法油滑之弊。但把作詩方法，歸納成許多定格，亦不免太機械。

三、金元人選唐詩

㈠《唐詩鼓吹》十卷

此書相傳是金代詩人元好問選定的。現在流傳的版本有元郝天挺的注，明廖文炳的解，淸朱三錫東岩的評釋。全書十卷，專選王維、高適以下至晚唐、五代七言律詩九十六家，詩五百九十六首，但是有宋初詩人胡宿詩二十三首誤入。

南宋中晚年，詩人爭學晚唐五言律詩；在北方的金元，則詩人都作中、晚唐七言律詩。故南宋的《衆妙集》多取五律，而北方的《唐詩鼓吹》全取七律。

(二)《唐音》十四卷　楊士弘編

此書爲元人楊士弘所編，有至正四年（公元一三四五年）八月朔楊氏自序，可知書成於此年。全書十四卷。第一卷爲『始音』，收王、楊、盧、駱四傑詩。他以爲此四人詩僅是唐詩之開始，還不算唐詩正聲。故此四家詩不屬於初唐。第二卷以下爲『正音』六卷，『遺響』七卷。就是把唐詩分爲二級。但李白、杜甫、韓愈的詩都沒有選入。

把唐詩分爲三期：初盛唐、中唐、晚唐。給六韻以上的律詩定名爲排律，都是楊士弘創始的。現在通行的《唐音》，有明人顧璘的批點本。

四、明人選唐詩

(一)《唐詩品彙》九十卷、拾遺十卷　高棅編

高棅是元末明初人，此書初編九十卷，成於洪武二十六年（公元一三九三年），選唐詩六百二十

家，詩五千七百六十九首。洪武三十一年，又作拾遺十卷，增補作者六十一家，詩九百五十四首。

高氏此書編輯的觀點，很受楊士弘《唐音》的影響。楊把唐詩分爲三期，高分爲初、盛、中、晚四期。楊分詩爲正音、遺響二級，高分爲正始、正宗、大家、名家、羽翼、接武、正變、餘響、旁流等九級。大略以初唐爲正始，盛唐爲正宗、大家、名家、羽翼。中唐爲接武。晚唐爲正變、餘響。僧道婦女及無名氏詩爲旁流。反映出來的仍是文學退化論。

(二)《唐詩正聲》二十二卷　高棅編

此書是《唐詩品彙》的簡編本，專選編者所謂正聲，故詳於盛唐而略於晚唐。

(三)《唐詩選》七卷　李于鱗選

此書雖題曰『李于鱗選』，但李于鱗（李攀龍字）實無此書。李有《古今詩刪》三十四卷，選錄古逸至唐代詩。唐以後即爲明詩，多採錄同時朋舊互通聲氣之詩，而宋元詩不採一首。蓋明代前後七子作詩以盛唐爲標格，李夢陽倡導『不讀唐以後書』，故不選宋、元詩，以爲宋、元詩不足學也。坊賈取《古今詩刪》中唐詩部分，別出單行，題曰《唐詩選》，在當時頗爲風行，因其代表明代七子詩派的觀點。至明末清初，對此書的非議就多起來了。

(四)《唐詩解》五十卷　唐汝詢解

唐汝詢，字仲言，雲間（今上海市松江縣）人。他五歲時就因病雙目失明，靠耳聽心記學習，博通經史百家之書。他根據《唐詩正聲》及《唐詩選》二書，略有增減，給每一篇詩作了注解。這是第一部卷帙較富的唐詩注解本。

唐汝詢是晚明人，但此書原本刻於萬曆四十三年（公元一六一五年），未見傳本。現在一般所見都是順治十六年（公元一六五九年）武林趙氏臨雲閣刻本。

(五)《唐詩歸》三十六卷　鍾惺、譚元春同編

鍾惺（字伯敬）、譚元春（字友夏）都是竟陵（今湖北天門縣）人。他們繼公安三袁之後，論詩主張發自性靈，以抗議前、後七子的摹仿盛唐。他們的文學理論被目爲『竟陵派』。二人合編《古詩歸》十五卷，《唐詩歸》三十六卷，刻於萬曆四十五年（公元一六一七年）。他們別出手眼，選釋古詩及唐詩。當時以新奇炫人耳目，頗有影響。至明末清初，爲錢謙益、吳偉業諸人批斥，追隨者漸少。但對此書的評論，至今猶不一致。

(六)《唐詩鏡》五十四卷　陸時雍編

陸時雍，字仲昭，桐鄉人。崇禎六年（公元一六三三年）貢生。他撰《古詩鏡》三十六卷，《唐詩鏡》五十四卷。論詩以神韻爲宗，情境爲主，似乎有對抗鍾、譚之意，亦代表晚明一家詩論。這兩部《詩鏡》久無刻本，不易見到。但其《總論》一卷已由丁福保抄出，刊於《歷代詩話續編》中。丁氏稱『其論漢魏迄唐各家詩，確有見地，非拾人牙慧者所可比擬。』

五、清人選唐詩

㈠《唐才子詩》七卷 金人瑞選批

此書爲金聖嘆選批詩文刊本之一。書名全文爲《貫華堂選批唐才子詩甲集七言律》。蓋選七言律爲甲集，其後或當有五言律爲乙集，書未成而聖嘆被殺。此書選講唐人七言律詩六百首，分爲七卷，每卷分上下二卷，實爲十四卷。書名雖曰選批，內容實爲解釋。

聖嘆講律詩，創始了分前後二解的辦法。他以每首律詩的前四句爲『前解』，後四句爲『後解』。前解二聯爲起承句法，後解二聯爲轉合句法。講詩有妙悟處，也有迂腐處。金聖嘆評點諸書，在淸初風行一時，此書亦代表他的一家之言。

㈡《而庵說唐詩》二十三卷 徐增著

此書有康熙元年（公元一六六二年）徐增自序。略謂『詩道散失久矣。人皆狃於時習，不知古人之用筆。其選唐詩也，取其近乎己者，如高、李、鍾、譚之選詩是也。則唐詩竟爲高、李、鍾、譚之詩，非唐詩也。故選唐詩，必先正其眼目，循其徑路；升其堂，入其室，得其神理意趣之所在而選之』。這些話已說明了他是反對高棅、李攀龍、鍾惺、譚元春的選詩標準的。至於他自己的選詩標準，則說得並未明確。

關於講詩的方法，他也說到：『有才者縱橫出奇，有學者博綜示奧，有力量者氣象開弘，有神韻者寄托玄妙。至於解數與起承轉合之法，人多略之。後有作者，不免議其後矣。』由此也可知他的論詩是追隨王漁洋的，講詩是用金聖嘆的方法。這兩家正是當時詩壇的時髦人物。

此書大概盛行於康熙年間，乾隆以後，詩論家數漸多，唐詩選本亦日新月異，此書漸漸不爲世人所知。

㈢《刪訂唐詩解》二十四卷　吳昌祺評定

吳昌祺，字綏眉，別號樊桐山人，亦雲間人。此書爲唐汝詢《唐詩解》的刪節訂正本。因唐氏注釋太繁，且多重複，故刪削大半。唐氏解詩有未順未達者，吳氏以眉批訂正之。但亦有唐解可取而吳解反而錯的。

此書有吳氏自序，作於康熙四十年（公元一七〇一年），大約刊刻成書亦在此後一二年間。

㈣《唐音審體》二十卷　錢良擇編

錢良擇，字木庵，虞山（今常熟）人。此書以辨體爲主，故按各種詩體分別編選唐詩。在每一種詩體的卷前，有一篇總論，詳述體式的源流演變。對於詩意，僅偶而有一些評注，不是此書撰述任務。

此書刊於康熙四十三年（公元一七〇四年）。

㈤《唐賢三昧集》三卷　王士禛選

王士禛，字阮亭，別號漁洋山人，世稱爲王漁洋。其論詩主神韻自然，以救明代詩人之失。此書專選盛唐詩人之作，以見其所謂神韻的範例。

㈥《〈唐人萬首絕句〉選》七卷　王士禛選

此爲洪邁《唐人萬首絕句》的選本。選詩人二百六十四家。詩八百九十五首，分爲七卷，約爲原書十分之一。仍用其神韻說爲選詩標準，所選甚精。書成於康熙四十七年（公元一七〇八年），過三年，漁洋即去世了。

㈦《御選唐詩》三十二卷附錄三卷

清聖祖康熙帝命詞臣編《全唐詩》，於康熙四十二年編成，共九百卷。又命臣下精選一部可以代表唐詩全體面目的集子，由臣下分別選錄，而由他自己決定。康熙五十二年編定，書名《御選唐詩》。因爲是皇帝御選的書，無人敢評論。《四庫全書總目提要》止恭維它『博收約取，漉液鎔精。』這不過是說他選得好而已。

㈧《唐詩別裁》二十卷　沈德潛編

沈德潛，字確士，號歸愚，蘇州人。他是康熙、乾隆兩朝的詩人及詩論家，官至內閣學士兼禮部侍郎，甚得皇帝信任。康熙、乾隆二帝的詩，大多是他的代筆。康熙中葉，詩家都學宋元詩，又是王漁洋的神韻說盛行的時候。沈德潛主張作詩當以李、杜爲宗，不能局限於王、孟、韋、柳的清微古淡一派。他編選了這部《唐詩別裁》，初刻在康熙五十六年問世，到他晚年，又重新編定，擴大了選材內容，以求反映唐詩的全面。重訂本於乾隆二十八年（公元一七六三年）印成，就是現在流行的版本。

此書在清代詩壇有很大的權威性，一方面糾正了宋元詩派的主理智，取清麗；另一方面又否定了神韻派的膚淺輕浮。」但沈德潛頗有宋代道學家的正統儒學觀點，他謹守溫柔敦厚的詩教，以張籍的《節婦吟》爲思想有問題，『恐失節婦之旨』，故不選入。由此可見他的封建禮教思想十分迂執。這種觀點，往往表現在他的評語中，不可不注意。

㈨《唐詩叩彈集》十二卷，續集三卷　杜詔、杜庭珠編

康熙後期，掀起了唐詩的高潮，《唐詩品彙》又時行了。但《品彙》以初、盛唐詩爲正宗，對中、晚唐詩，所選甚略，故杜氏選元和以至唐末的詩，爲《唐詩叩彈集》，以爲《唐詩品彙》的補編。

㈩《唐詩合解》十二卷　王堯衢注

王堯衢，字翼雲，蘇州人。作《古詩解》四卷，《唐詩解》十二卷，合稱《古唐詩合解》，刊於雍正十年（公元一七三二年）。其後《唐詩解》傳刻多，《古詩解》廢而不刻，書名遂稱《唐詩合解》，此『合』字已不可通。亦有單刻唐詩部分而仍題書名爲《古唐詩合解》者，尤爲謬誤。然此書在清代嘉慶、道光以後，除《千家詩》、《唐詩三百首》之外，最爲盛行。至民國初年，亦爲暢銷書。石印本甚多，皆名曰《古唐詩合解》。

此書選注五言古風二卷，七言古風一卷，五言絕句一卷，七言絕句二卷，五言律詩二卷，七言律詩三卷，五言排律一卷，總十二卷。選詩標準『取格調平穩，詞意悠長，而又明白曉暢，皆時人所常誦習者。』注解方法則自云：『注古詩每於轉韻分解處見神情，並字句之工而一一詳說之。注律詩則分前、後解，寫題中何意。並注明起承轉合，章有章法，句有句法，字有字法。務必字字得其精神，

言言會其意旨。注絕句雖止起承轉合，分貼四句，其筆法多在轉合反挑側擊，妙處不同。亦有一氣渾成，能入化境者，則又不拘常格。』

以上選注宗旨，皆見於王氏自述《凡例》，可以代表清人讀唐詩方法。此種方法，對一般初學青年，可以有啓蒙入門的效果，但如果運用機械，則不免墮入評點八股文習氣。

此書原刻本有圈點。《凡例》云：『體格兼勝，入題探奧者，用密圈。詞氣清新，景物流麗者，用密點。其有字關題眼，或旁挑反擊，前後呼應，神情在虛字者，俱用單點點出。』這也是明清人評點古文、時文的方法。坊間重刻本，因刻工較繁，大多刪去圈點。

此書注解，皆襲取前人舊說。詩法評論，多取李于鱗之說。分解講詩，用金聖嘆法。評論中多採金聖嘆、徐而庵，亦兼取鍾惺、譚元春。鑒賞觀點，不主於一派。

㈡《唐律清麗集》六卷　徐日璉、沈士駿輯

乾隆二十二年（公元一七五七年）春，鄉試殿試均不考經判，而改試五言八韻唐律。於是徐、沈二人趕編了一部專收唐人五言長律的選集，分應制、應試、酬贈、紀述四門，自四韻至百韻，均有選錄。這是一部供應舉子投考學習的投機書。卷首有二十二年孟冬望日沈德潛寫的序。徐日璉、沈士駿都是沈德潛的同鄉和學生，沈又是沈德潛的族孫，大約此書是在沈德潛指導之下迅速編成的。雖然是一部應試投機書，但專選唐人五言律詩的集子，卻止此一部。

此書每卷第一行題作《唐人五言長律清麗集》，這是全名。面頁題作《唐律清麗集》，這是書名。

書口題作《淸麗集》，這是簡稱。『淸麗』是選詩的標準。所選詩詳於初、盛唐，略於中、晚唐，而選杜甫詩最多，仍是高棅以初盛爲正宗的觀點。

㈡《唐律消夏錄》五卷　顧安評選　何文煥增評

乾隆二十一年丙子，蘇州人顧安，字小謝，評選了一部唐人五言律詩，分五卷。每詩有圈點，附評論。書名《丙子消夏錄》。他在自序中說明他的評論注重於闡發『古人命意、立法、修辭之道』。至乾隆二十七年，嘉善人何文煥重刻顧安此書，增加了他的評論，改書名爲《唐律消夏錄》，而扉頁上卻題作《唐詩消夏錄》。

何文煥是一位詩人，詩論家，又是出版商。他曾於乾隆三十五年編訂刊行《歷代詩話》，卷尾附有他的《歷代詩話考索》，議論見解，都有長處。顧安的《丙子消夏錄》原刻本我沒有見過，但看《唐律消夏錄》中何文煥的增評，似乎比顧安的評論高明得多。

《丙子消夏錄》出版後一年，科舉考試才改用五言律詩。何文煥在乾隆二十七年重刻顧安此書，恐怕也是當時有此需要。

㈢《網師園唐詩箋》十八卷　宋宗元箋

宋宗元，字慤庭，蘇州人。以四十年之力，選唐詩而箋之。其書刊於乾隆三十二年。宋氏自序，說明其選詩宗旨在以溫柔敦厚爲指歸。他說：『竊謂詩以永言，敦厚溫柔而已。舍是，無問平奇淡麗，皆所必黜。其或索枯險以爲高，修容服以矜媚，是皆誤於彼之所謂指歸，而實倍乎詩人之指歸者也。』這一段話主要是對鍾、譚說的。因爲鍾、譚編《唐詩歸》，正是所謂以枯險爲指歸也。『修容矜媚』一句，大概又兼指王漁洋了。

此書雖名曰箋，實則仍是注釋典故。專以溫柔敦厚爲選詩標準，就不免有些道學家氣。

㈣《唐詩三百首》　蘅塘退士編

此書爲近代最通行之唐詩選本。卷首有蘅塘退士序，甚簡短，今全錄之。『世俗兒童就學，即授《千家詩》，取其易於成誦，故流傳不廢。但其詩隨手掇拾，工拙莫辨。且只五、七律、絕二體，而唐宋人又雜出其間，殊乖體製。因專就唐詩中膾炙人口之作，擇其尤要者，每體得數十首，共三百餘首，錄成一編，爲家塾課本。俾童而習之，白首亦莫能廢，較《千家詩》不遠勝耶？諺云：「熟讀唐詩三百首，不會吟詩也會吟」，請以是編驗之。』

可知當時《千家詩》爲童子學詩之啓蒙讀物，作者不滿於其內容蕪雜，故有此選。但此書既出，雖盛行數百年不替，而在清代，《千家詩》仍不能廢，猶爲兒童啓蒙必讀之書。

此書非詩家評詩之選本，編者目的僅在作爲青少年文學讀本，但供一般人閱讀，亦極適宜，故銷行極廣，使其他前人詩選大受衝擊。接踵而出者有《唐詩三百首續編》、《唐詩六百首》，皆書坊投機牟利之物。

蘅塘退士向來不知爲何許人。其書原刻本已不可見，不知刊刻年代。近人考得編者蘅塘退士爲無錫人孫洙之別號，其人爲淸乾隆十六年進士。則此書必爲其退隱後所編，編成刊本，當在乾、嘉之際。

以上清人評選唐詩十四種。其中一部分是流行廣泛的選本，一部分是有專題偏重的詩選，都是近代研究唐詩者經常參考的書。

宋元以來，唐詩選本最多，本文所介紹的，僅是其中比較重要的一部分。方回（字虛谷）的《瀛奎律髓》倒是一部非常重要的唐詩研究參考書，但因爲此書並非專選唐詩，故未列入這個目錄。

一九八五年六月二十五日

後記

《唐詩百話》全書編成，寫了《序引》，自己又回顧一下。忽然感到，我這本書，有一個很大的缺點：目的性不明確。到底這本書是爲誰寫的？有哪些讀者會認爲這本書有需要？

古今中外一切文學作品，都是供人們隨時隨地瀏覽，以消遣閒暇，陶冶性情。一般讀者並不把文學作品作爲研究對象。根據近年來的語文教育水平，一個初中學生應當能閱讀《三國演義》、《水滸傳》這一級的古典文學作品。一個高中學生應當能閱讀《長生殿》、《牡丹亭》這一級的古典戲劇，也能看得懂《唐詩三百首》和《古文觀止》中的一部分文言散文。一個語文基礎更好的高中畢業生，應當能自己閱讀時代較古的韻文和散文。這樣，一個普通青年的語文文化水平也就夠了。他們讀唐詩，儘管可能有體會不夠或誤解的情況，但大概都能獲得消遣閒暇，陶冶性情的效果。他們是在欣賞文學，不是研究文學。這也足夠了。

像唐詩、宋詞、《水滸》、《紅樓》這一類普通文化讀物，向來沒有注釋，這也並不妨礙讀者的欣賞。從來沒有一個讀者想查考大觀園在什麼地方。也沒有人想到查考《水滸傳》中一百單八位頭領有幾個是實有其人。讀到唐詩『商女不知亡國恨』，也沒有人查問這個商女是本地人還是外地人。讀到『江楓漁火對愁眠』，也沒有人懷疑這個『江楓』是樹呢還是一座橋。如果有人提出這些古怪問題，肯定有許多讀者會詫爲異想天開。

可是，有不少箋釋、分析、評論文藝作品的學者，偏偏喜歡提出諸如此類的古怪問題，從而又得出各種新穎驚人的答案。我開始寫這本書的時候，止是打算從文學欣賞角度來詮釋每一首詩的涵義，最多兼做些掃除語文障礙的工作。可是，在寫作進行過程中，一查閱各種版本的新舊著作，才發現了許多古怪問題，不但近年來有，而且是歷代都有。這樣，就不免要做些查核、考證、辨駁的工作。這樣一來，不知不覺地離開了幫助讀者欣賞唐詩，而把讀者引進到研究唐詩的路上去了。當然，唐詩不是不值得研究，不過，如果爲欣賞而做這種研究工作，對於一位僅僅要欣賞唐詩的讀者，卻是加重了不必要的負擔。

因此，我感到，這本書的問題是寫得不上不下。如果把它作爲唐詩研究的專著，則學術水平遠遠不夠高；如果把它作爲唐詩欣賞的普及讀物，則又顯得太繁瑣，有許多枝節話，本來不用牽涉進去的。現在，書已寫成，也無法改弦更張，我止希望讀者各取所需，如果我能在欣賞與研究兩方面，都能提供一點啓發的話，就算它沒有失敗。

最後，需要說明幾點：

㈠這部書稿，幾乎寫了十年，雖然預先有一個全盤計劃，但也有隨時改變的。書中所講到的，不免有重複，也可能在重複中有差異。現在已無暇細核，請讀者發現時賜教。

㈡唐詩的集本、選本，實在太多，每一首詩的文字，諸本皆有異同。例如《唐詩三百首》，鉛印本就不知有多少版本。其中文字差異，由來已久，沒有見到蘅塘退士的原刻本，就無法斷定是原本之錯，還是翻印之錯。本書中所採用的詩題及本文，大多依照《文苑英華》或《唐詩品彙》。見於《唐人選唐詩》者，大多依照唐選舊本。

㈢詩的文字，悉依舊本。原詩中用古寫法者，仍保存原樣，但在著者的文章中，改從今寫法。如『鳳皇』，古人皆不作『凰』，今仍依原字排版，但在著者的文章中則改作『鳳凰』。又如『蒲桃』，詩中保存原字，文中則用葡萄。

㈣本書所用詩人像是從一個日本古刻本《詩人圖像》中選用。此書現藏華東師大圖書館，原爲盛宣懷愚齋藏書。原書和裝本，無序跋說明，僅存唐宋詩人圖像四十餘幅。似乎是一個殘本，其書來歷不明，可能是一個我國明代刻本的翻版。

施蟄存　一九八六年四月一日

十八畫

十九畫

二十畫以上

十五畫

十六畫

十七畫

十三畫

十四畫

十一畫

十二畫

九畫

十畫

六畫

七畫

八畫

五畫

索　引

本書提到不少詩學名詞，詞語及成語，散見於各篇，不易檢查。爲此編了這個索引給讀者提供方便，阿拉伯數字爲出現本書頁數。

二畫

三畫

四畫